FLEUR FERRIS

RISK

Ouvrage dirigé par Dorothy Aubert
Photo de couverture : © plainpicture/Lisa Krechting
Graphisme : Ariane Galateau

Pour la présente édition :
© Hugo et Compagnie, 2016
34/36 rue la Pérouse, 75116 Paris
www.hugoetcie.fr

ISBN : 9782755623239
Dépôt légal : mars 2016
Imprimé en France par CPI Brodard & Taupin - N° d'impression : 3015782

FLEUR FERRIS

RISK

Roman

Traduit de l'anglais (Australie)
par Anaïs Goacolou

Hugo ✛ Roman
New Way

UN

Avec Sierra, nous passons des heures comme ça, moi sur mon iPad et elle sur mon ordinateur portable, ensemble sans vraiment l'être, à parler avec d'autres personnes.

– J'en ai un, m'annonce-t-elle.

Sans prendre la peine de relever les yeux de Facebook, je lui demande :

– Tu es sur quoi ?

– Mysterychat.

– Je croyais que tu étais interdite de séjour là-bas.

– Je le suis, confirme-t-elle avec un sourire rusé. C'est pour ça que je vais sur ton ordi. Ta mère est déjà incapable de comprendre comment marche Facebook, alors avant qu'elle sache quels sites tu fréquentes, on est tranquilles.

Âge ? Sexe ? Lieu ?

– Je peux être Taylor ? me supplie Sierra.

– N'y pense même pas.

– Juste pour voir ce que ça donne, décrète-t-elle en se mettant à taper sur le clavier. Je ne vais pas inventer n'importe quoi, au cas où ce serait un mec et qu'il serait mignon.

J'éclate de rire.

– Depuis quand on trouve des beaux mecs sur ce site ?

– Ah, il dit qu'il a dix-huit ans. J'y crois pas ! Il habite à Melbourne ! piaille Sierra.

Je me redresse sur mon lit pour regarder ce qu'elle fait. Elle tape comme une folle sur le clavier.

On est deux filles de 16 ans. Nous aussi, on est sur Melbourne ! Tu peux nous appeler. S & T.

– Sierra ! On n'a pas seize ans !

– Ça, il en sait rien. Il faut ça fasse légal.

– Peut-être, mais si en fait il est vraiment sympa et qu'il doit se passer quelque chose... Bon, ça n'arrivera jamais, mais quand même. Si ça devait se produire, on partirait sur un mensonge !

– Relax ! Un an, c'est rien du tout, et en plus, c'est l'histoire de quelques mois.

Slt, S & T. Moi, c'est J. Enchanté.

– Au moins, il ne nous demande pas de lui montrer nos seins, fait remarquer Sierra.

Nous nous esclaffons toutes les deux, puis elle répond :

T'es où dans Melbourne ?

Le retour est immédiat :

Brighton.

– Waouh, à la plage ! Il doit être riche, conclut Sierra.

— Mouais, ou alors c'est un gros dégueu de trente ans qui habite à Pétaouchnok.

À cette idée, je frissonne de dégoût et me penche de nouveau sur ma tablette.

— Tu fais quoi ? se renseigne Sierra.

— Je chatte sur Facebook, avec Riley. Elle a rompu avec Joel pendant les vacances.

— Encore ? s'exclame Sierra en levant les yeux au ciel. Elle devrait vraiment écouter Taylor Wolfe. Tu as entendu sa dernière chanson ? (Elle se met debout, brandit un stylo en guise de micro.) *Ne reviens pas en arrière, je te l'ai bien dit, une fois que c'est derrière, tout est vraiment fini.*

Elle imite parfaitement la voix de Taylor Wolfe, mais je me retiens de le lui dire : ce n'est pas comme si elle avait besoin d'être encouragée. Elle porte déjà la même frange que la star, les mêmes fringues, elle s'exprime comme elle et chante aussi bien. Et elle a beau revenir de six semaines à la neige en Amérique du Nord, où c'est l'hiver, ses longues jambes fines sont bronzées, exactement comme celles de Taylor.

— C'est le short qu'elle portait dans *Ellen*, précise Sierrra, qui exécute un tour complet sur elle-même pour me faire admirer ses fesses.

— Oui, j'avais remarqué, et ouiii, c'est hallucinant comment tu lui ressembles.

J'affiche une mine exaspérée, mais elle n'est pas dupe.

— Et toi, tu as son prénom. J'aurais bien aimé que ma mère m'appelle Taylor. Tu imagines !

— Bof, tu trouves que Taylor Gray, c'est un nom si intéressant ? Au moins, Sierra Carson-Mills, ça fait... raffiné.

Sierra part sans cesse à la pêche aux compliments, et sans comprendre pourquoi, même si je perçois son manège, je les lui débite. Parfois, je me chronomètre, et en très peu de temps, les flatteries s'échappent de ma gorge comme le pétrole jaillit de son puits.

Mon amie se rassied devant l'ordinateur, quand un petit tintement indique l'arrivée d'un message. Pourquoi est-ce toujours Sierra qui récolte tous les garçons ?

— Je croyais que tu aimais bien Callum, dis-je en m'efforçant de paraître indifférente. Vous ne vous êtes pas embrassés, à la fin de l'année ?

— Bah, juste une miniséance de bécotage, c'était rien du tout.

Je fais mine de continuer à parcourir ma page Facebook. Je le garde pour moi, mais je craque sur Callum depuis des années. J'ai masqué ma déception lorsque Riley m'a annoncé ce qu'elle avait vu lors d'une fête avant les vacances d'été : « J'étais à l'autre bout de la pièce... C'était blindé de monde, mais on aurait vraiment dit qu'ils s'embrassaient. » Moi qui avais quitté la soirée tôt à cause d'une migraine, je le regrettais maintenant. Pendant tout l'été, j'avais stressé : c'était vrai ou pas ? Je mourais d'impatience que Sierra revienne, pour lui demander ce qui s'était passé. Je n'aurais jamais cru qu'elle s'intéresserait à Callum... et je ne savais pas qu'elle lui plaisait, parce que de son côté, il ne semblait pas lui prêter une attention particulière. Peut-être fait-il partie de ces gars qui, quand une fille leur plaît, parlent plutôt à sa copine à côté, pour ne rien laisser paraître.

— Je ne voulais pas aller trop loin, poursuit Sierra. Je dois rester libre pour Chumpy Pullin, snowboardeur numéro un de tout l'univers.

Je grommelle :

— Oh non, encore lui !

Cependant, je suis toujours préoccupée par ce que peut impliquer une « miniséance de bécotage ». Un baiser ? Deux ? Quel genre de baisers ?

— Il est trooop beau, soupire Sierra. Et il était là. Je l'ai vu de loin. Je lui ai roulé une pelle il y a trois ans, tu sais.

— Donc, quand tu avais douze ans ! Non, tu n'as pas embrassé Chumpy Pullin. Est-ce que tu lui as adressé la parole, au moins ?

— Non, reconnaît-elle avec un sourire. Mais il me semble bien avoir croisé sa sœur au remonte-pente.

Elle se retourne vers l'écran.

Encore au lycée ? tape-t-elle.

En dernière année. Je voudrais faire médecine après. Et vous ?

— Alors, qu'est-ce que tu vas inventer, maintenant ? Il ne va pas s'intéresser à quelqu'un de deux ans de moins que lui ! dis-je d'un ton moqueur.

Avant-dernière année et j'aimerais faire des études de droit, répond Sierra sans se démonter.

— T'es infernale. Tu sais ce qui va se passer, non ?

Le fameux « J » va se révéler super-sexy et cool, et tu devras avouer tous tes mensonges.

– Qui te dit que je me prépare pas pour faire du droit ? demande-t-elle avec une moue boudeuse.

– Parce qu'il te faudrait limite des résultats de dingue dans toutes les matières. Tu rêves, c'est hors d'atteinte. Pour moi aussi, d'ailleurs.

– Juste pour moi, tu veux dire.

Parce qu'avoir une famille encore entière, dont un père qui possède une station de ski aux States, de l'argent à cramer, exceller en sport et bénéficier d'un physique sublime, ça ne suffit pas.

J, c'est l'initiale de Jacob.

T, de Taylor, répond Sierra, qui envoie avant que je puisse l'arrêter.

– J'ai dit non, et je suis sérieuse.

Elle se fait tout le temps passer pour moi sur Internet, et je déteste ça.

– Sierra, c'est l'heure !

C'est Rachel, sa mère. Je bondis de mon lit et me rue vers la porte. Si elle nous surprend sur Mysterychat après ce qui est arrivé la dernière fois, elle va péter un câble. J'entrebâille la porte et trouve Rachel juste derrière. J'ouvre plus grand avec le sourire, mais je sens le rouge qui me monte aux joues.

– On arrive.

J'obstrue le passage, l'attitude la plus naturelle possible, pendant les quelques secondes qu'il faut à Sierra pour me rejoindre, rouge elle aussi.

– Je suis prête. On se voit lundi pour la rentrée, ajoute Sierra avec un clin d'œil.

J'aide maman à préparer le dîner et mets le couvert avant de retourner dans ma chambre. Mon téléphone affiche un nouveau mail.

Jacob Jones.

J, c'est l'initiale de Jacob.

Incrédule, je garde les yeux rivés sur ce nom. Comment Sierra a-t-elle osé lui donner mon adresse ? Je clique sur le message.

Salut Taylor,

C'était sympa de te rencontrer. Ça te dirait qu'on continue à échanger par mail ?

Jacob.

Aussitôt, je réponds :

Jacob,

C'est ma chère copine Sierra que tu cherches. Moi, je suis Taylor, j'ai quinze ans, je ne ressemble pas du tout à Taylor Wolfe, je n'ai pas envie d'étudier le droit et je ne compte absolument pas t'envoyer une photo de mes seins.

Taylor

Je m'installe plus confortablement dans mon siège pour me calmer, tout en surveillant ma boîte.

Un deuxième mail me parvient.

Chère Taylor,

Je comprends très bien que tu n'aies pas envie de faire du droit, j'ai du mal à imaginer plus ennuyeux. Tu as quinze ans, d'accord. Je ne vois pas trop si tu trouves ça positif ou le contraire, donc je ne sais pas quoi te répondre là-dessus. Je suis conscient que toutes les filles appelées Taylor ne ressemblent pas à Taylor Wolfe, tout comme les Kylie ne ressemblent pas forcément à Kylie Minogue, etc. Et je t'en prie, ne m'envoie surtout pas une photo de tes seins ! Ça serait très gênant.

Jacob

PS : Je comprends maintenant que c'était ta copine Sierra qui m'a parlé tout à l'heure. Tu es assez imprévisible, mais tu m'as aussi l'air très intéressante.

PPS : Qu'est-ce qui te fait envie, à défaut du droit ?

PPS : Je n'ai pas du tout la tête de Jacob dans Twilight, et je n'ai pas non plus la capacité de me transformer en loup.

Je lis et relis son message. Il doit vraiment s'imaginer que je suis une pauvre tarée.

Après l'avoir parcouru une dernière fois, je bloque sur le « très intéressante ». Intéressante. Mon rythme cardiaque s'accélère un brin et je sens malgré moi les commissures de mes lèvres qui se relèvent.

Je prends une profonde inspiration et retiens mon souffle quelques secondes avant d'expirer.

Cher Jacob,

Je te présente toutes mes excuses pour mon mail ridicule de tout à l'heure. J'imagine que ce n'est pas évident pour toi de te remettre de mes piques sur Taylor Wolfe et les photos, mais je veux quand même préciser que je ne suis pas cruche ni folle. C'est juste, je ne savais pas que Sierra t'avait donné mon adresse, et j'étais énervée. Je n'utilise pas Mysterychat et je n'irais jamais donner mon email à quelqu'un que je viens de rencontrer, au cas où ce serait un psychopathe.

T. G.

PS : En fait, tu ne fais pas du tout psychopathe.
J'appuie sur « envoyer ».
– Taylor, à table !
La voix de maman me fait sursauter. Je laisse tomber mon téléphone sur le lit et descends les marches quatre à quatre.
Pendant le dîner, nous bavardons au sujet du voyage au ski de Sierra.
– Elle s'est remise du décalage horaire ? me demande maman.
– Elle a dormi jusqu'à cet après-midi, avant de venir avec Rachel, mais elle est encore un peu à plat. Elle va rattraper son quota de sommeil avant la rentrée lundi. Elle est impatiente d'y être, on lui a manqué pendant les vacances. (Je m'interromps et repose ma fourchette.) Elle voudrait que je l'accompagne au ski l'été prochain. Je pourrais y aller, tu crois ?
Maman hésite.
– On verra.
Bon, au moins, ce n'est pas non direct. Ce qui pose le plus problème à ma mère, c'est que j'y parte seule : elle trouve ma copine beaucoup trop souvent livrée à elle-même, et c'est pour cette raison qu'elle s'attirerait aussi souvent des ennuis. Maman refuse de me laisser juste avec Sierra, et puis... je sais que nous n'en avons pas vraiment les moyens, ce qui me fait culpabiliser de demander.
– Le ski, ça peut être cher, continue maman. Mais on pourrait éventuellement y aller toutes les deux pendant quinze jours. Je vais y réfléchir.

– C'est vrai ? dis-je, la voix un peu haut perchée. Et si je trouvais un boulot pour payer ma part ? Il y en a quelques-uns au lycée qui travaillent, maintenant. J'ai quinze ans, je peux avoir un job.

– Doucement. Tu n'as aucune raison de faire ça. Je ne veux pas que tu travailles. De l'argent, on en a. C'est juste que je mettais de côté pour tes études.

– Je sais, je sais. Et pour ta retraite...

Maman sourit. Nous terminons notre repas et je remplis le lave-vaisselle.

– On se fait un petit film ?

– Non, je... Je retourne dans ma chambre discuter avec Riley. Elle est un peu déprimée, parce qu'elle a re-rompu avec Joel.

Maman lève les yeux au ciel, comme Sierra tout à l'heure.

Je repars à l'étage. En fait, j'ai envie de voir si Jacob Jones m'a renvoyé un mail. Je m'assieds avec ma tablette et quand je touche l'écran, j'en trouve un nouveau.

Coucou,
Désolé d'avoir disparu.
Tu ne m'as pas dit ce qui te plaisait...
J

J veut savoir ce qui me plaît. Un petit rire monte de ma poitrine.

Jacob Jones. Jacob Jones. Jacob et Taylor. Taylor Jones.

Je m'entraîne à élaborer une signature en tant que « Taylor Jones ». Le Y et le J forment de grandes boucles sous les autres lettres. Ça rend bien.

Bon, ce qui m'intéresse. Voyons.

Salut J,

J'adore aller à la plage, et ma matière préférée, c'est la littérature.

J'efface la deuxième partie. Non, mais franchement ! Euh... Les balades à vélo ?

Si j'écris ça, il risque de s'imaginer une fille ultra-sportive. Je supprime aussi et je m'en tiens à : « J'adore aller à la plage. » J'envoie sans signer. Ah, la musique ! Pourquoi je n'y ai pas pensé ? Mieux, les festivals. Merde. C'est clair, j'aurais dû mettre « les festivals de musique ».

Il répond aussitôt.

Tu veux qu'on parle sur Skippertychat ?

Il m'envoie le lien.

Je me sens comme les filles dans les vieux films : j'attendais sur un banc dans la salle de bal, et on vient de me proposer de danser. Je clique sur le lien.

Coucou, j'écris.

Coucou aussi. Moi aussi, je suis plage à fond. T surfeuse ?

Non, mais j'ai essayé plusieurs fois. C'est super-sympa.

Tu vas à quelle plage, sur Melbourne ?

J'aime bien Torquay, mais je peux pas toujours y aller.

Pareil.

Je ne sais pas quoi dire. Je me jette sur mon téléphone et envoie un SMS à Riley.

OMG

Quoi ?

Je chatte avec un mec en ce moment.

Ah bon ? OMG !!! Comment ça se fait ? Il ressemble à quoi ?

Je sais pas.

Demande une photo.

Je peux pas !

Mais si, demande !

Ok.

Au fait, je suis de nouveau avec Joel. On vient de raccrocher au tel. JLAT ! Abrégé pour JE L'AIME TROP : D : D : D

Sérieux, t'es vraiment pas possible ! Bon, je lui demande une photo.

Je repars sur ma tablette.

T sur Instagram ? Tu peux me donner une photo de toi ?

J'appuie sur « envoyer ». Waouh, j'angoisse et je me demande ce qu'il va penser de moi. Je ne peux pas lui réclamer une photo sans être prête à lui rendre la pareille. Je passe tout de suite sur Instagram pour regarder. Dans le cliché que j'aime le plus, je suis avec Sierra. À côté d'elle, on ne me voit plus, mais si elle n'était pas là, je serais plutôt pas mal. Je n'ai pas de boutons et mes cheveux ne frisottent pas dans tous les sens. Je m'empresse de supprimer Sierra de l'image et je corrige l'exposition pour avoir l'air un peu bronzée. J'envoie le lien à Jacob.

En retour, je ne reçois pas un lien, mais une pièce jointe, que j'ouvre aussitôt. Jacob Jones. Il a les cheveux blonds et une belle peau hâlée. J'ai du mal à distinguer la couleur de ses yeux, parce qu'il ne regarde pas l'objectif. En fait, vu l'angle où c'est pris, on ne sait pas vraiment à quoi il ressemble.

Son profil est prometteur, en tout cas. Il est torse nu, le haut de sa combi de surf pend devant lui et ses épaules sont constellées de gouttes d'eau. Il a des bras... et un torse... impressionnants. En arrière-plan, le ciel est bleu vif et on voit les abris pour bateaux peints en couleurs vives de la plage de Brighton. Ce mec est à tomber.

Je saisis mon téléphone.

Riley, t'es là ? Trop beau, trop beau, trop beau. Il est canon !!!

Avant que Riley puisse répondre, je reçois un message de Jacob :

WAOUH ! Tu es éblouissante.

À ce moment, mon portable sonne. C'est Riley.

– Hello !

Ma mère est en bas, mais j'essaie de parler aussi bas que possible. Pourtant, j'ai du mal à contenir l'excitation dans ma voix.

– Alors, c'est quoi, cette histoire ? Tu l'as rencontré où, ce mec ?

J'explique à Riley ce qui s'est passé avec Sierra, qui a utilisé mon nom. Encore une fois. Et qui a filé mon adresse à un inconnu. Encore une fois.

– Elle fait n'importe quoi ! Sérieux...

C'est tendu entre Riley et Sierra depuis un bon moment. Sans moi, Riley aurait déjà viré Sierra de notre groupe de potes. Trop survoltée, je fais comme si je n'avais pas entendu.

– Bref, c'est ce qu'elle a fait, alors il m'a contactée en me prenant pour elle, et je sais pas ce qui s'est passé, mais là, c'est moi qui suis en train de chatter avec lui.

Je lui raconte tout ce que nous nous sommes dit jusqu'ici. Riley est explosée de rire avec mon histoire de photo de seins.

– Sierra va criser quand elle le saura ! Tu lui en as parlé ?

– Pas encore. Je la revois pas avant lundi. Je veux qu'elle pense que je suis vénère qu'elle lui ait donné mon mail. Et je le suis, mais bon... Écoute, il ne va rien se passer, bien sûr, mais c'est agréable, tu vois, d'avoir un mec qui me trouve intéressante et...

D'un coup, je me trouve ridicule.

– Il est encore en ligne ?

– Je crois. Je ne savais pas quoi répondre, il m'a dit que j'étais éblouissante.

Je sens la rougeur envahir tout mon cou et mon visage.

– Mais c'est vrai ! Remercie-le et ajoute qu'il est beau gosse.

Je me retourne vers mon écran, resté sur *WAOUH ! Tu es éblouissante.*

Merci. J'efface ce que je viens de taper, que je remplace par : *Cool, la photo. J'adore ces hangars.* J'ai à peine envoyé ma réponse que je la regrette déjà. « J'adore ces hangars » ? Rah, c'est trop naze. J'avoue à Riley ce que j'ai écrit et elle se bidonne.

– Tu sais quoi, Taylor ? C'est pour ça que tu es éblouissante. Ah, je viens de recevoir ton mail. (Je lui ai fait suivre le message de Jacob. Elle se remet à rire.) Ah ouais, très jolis, ces abris pour bateaux ! (Elle s'esclaffe plus fort.) Il est trop beau ! Ah, je te jure.

– Je suis pas douée...

– C'est clair ! (Elle rit encore, puis se reprend.) Désolée, mais j'arrive pas à détacher les yeux de ces superbes hangars.

Après avoir bavardé encore un peu, nous nous disons au revoir. Je dois focaliser mon attention sur Jacob, qui vient de me demander :

Dis-m'en plus sur ta photo. Où tu étais ? Qu'est-ce que tu faisais ?

Je lui donne des détails, et sans avoir à me forcer, ça fait plutôt cool. Une fête avec mes amis... Ça donne l'image d'une fille qui sait s'amuser. On se raconte notre vie. Il a un petit frère qui fait aussi du surf. Il est super-vexé, parce que c'est lui qui lui a donné des leçons, mais maintenant, son cadet est meilleur que lui. Son père est médecin, ma mère infirmière. J'ai envie d'apprendre à skier, il aime le snowboard. Je vais au lycée Trueman, et le sien n'est pas très loin, c'est Windridge. J'adore Reece Mastin, et lui Guy Sebastian, un autre chanteur qui a aussi gagné à « X Factor ». Notre petite conversation dure si longtemps que je dois m'éclipser aux toilettes. Nous passons cinq heures comme ça avant de nous déconnecter, avec l'impression de tout connaître l'un de l'autre. Je lui ai même parlé de papa, qui est mort quand j'avais huit ans et a été malade plusieurs années avant. Je ne l'évoque avec presque personne, à part maman et des fois Sierra.

Allongée sur mon lit, j'ai la tête qui tourne. Je ne veux rien oublier de ce que m'a dit Jacob.

Il faut que je devienne plus sexy.

À partir de demain, je suis au régime, et je fais du sport. Je dois être jolie en deux-pièces.

Je me réveille tard, et tout de suite, j'appelle Riley pour m'extasier.

– Je veux trop être là quand tu raconteras ça à Sierra lundi, déclare-t-elle.

J'avais oublié que j'étais censée en vouloir à Sierra. Au contraire, j'ai très envie de lui téléphoner et de lui parler de Jacob. Elle serait contente pour moi. Elle pousserait des cris à n'en plus finir, je l'entends d'ici.

Une fois que j'ai raccroché, je descends en short et baskets, prête à faire un jogging. À la table, maman lit le journal en buvant un café.

– Qu'est-ce qui se passe ? demande-t-elle en souriant.

– Je vais courir. Je veux perdre du poids.

– Beaucoup ?

– Euh, je sais pas. Je voudrais juste être potable en deux-pièces.

Elle rit.

– Comme nous toutes ! Tant que tu y vas doucement et que tu restes raisonnable, c'est très bien. Bravo !

Elle ne prétend pas que je n'en ai pas besoin.

– À tout à l'heure.

Je passe la porte d'entrée au pas de course et m'élance dans la rue. Au bout de deux minutes, les poumons me brûlent et mes cuisses paraissent lourdes à déplacer. Pourtant, je tiens le coup.

Ja-cob Jones. Ja-cob Jones. Ja-cob Jones.

Je me chante ça comme un mantra, en avançant un pied à chaque syllabe, pendant toute ma course dans notre banlieue pavillonnaire.

Au retour, je m'effondre sur la pelouse, devant la maison. Le soleil embrase ma peau couleur betterave. Je me redresse et me protège les yeux, puis je me mets à quatre pattes avant de me relever. Enfin, je me traîne sous la douche et laisse l'eau me couler dessus. Demain, mes muscles vont se venger.

Quand je finis par regagner ma chambre, j'ai reçu un mail.

C'est Jacob.

Calme plat aujourd'hui, donc pas pu surfer, mais je me suis dit que cette photo te plairait.

Ce sont les hangars multicolores, alignés sur le sable blanc, sous un ciel bleu vif.

J'adore ! Merci.

Biz

T

J'allume mon ordi, enregistre la photo que je mets en arrière-plan du bureau. J'ai envie de la voir dès que j'ouvre le portable.

Jacob Jones a pensé à moi, ce matin à la première heure.

Jacob Jones. Jacob et Taylor. Taylor Jones.

C'est qui, Callum, déjà ?

Je crois que je suis amoureuse.

DEUX

– Raconte tout ! m'ordonne Riley, dont les yeux verts brillent d'excitation.

– Pas de grande séance de chat comme la première fois, mais on s'est envoyé des mails pendant le week-end... C'est juste qu'on était jamais connectés au même moment.

La rentrée qui suit les vacances d'été, c'est toujours la journée la plus bruyante de l'année. Le self se remplit de filles qui piaillent et s'embrassent comme si elles avaient été coincées cinquante ans sur une île déserte sans personne à qui parler à part un visage dessiné sur un ballon de foot. Riley ne fait pas attention à elles.

– Quand est-ce que tu comptes lui proposer de se rencontrer ?

– Je sais pas, il n'en a jamais parlé, alors moi non plus. Je veux pas avoir l'air prête à tout, dis-je en riant. Il est trop sympa, c'est génial. T'y crois, toi, que j'ai réussi à rencontrer un mec aussi bien sur Mysterychat ?

J'ai conscience d'être ridicule, à m'extasier comme une fofolle, mais je m'en fiche. Je n'arrive à penser qu'à Jacob.

– Et tu vas en parler à Sierra, ce matin ? Si tu le fais, je t'en supplie, tu t'arranges pour que je sois là pour voir !

– Elle est où, d'abord ? (Je balaie la cantine du regard et fais signe à Izzy, qui se livre à la même activité. Elle doit chercher Sierra aussi. Elles sont copines, toutes les deux, mais Izzy traîne surtout avec les sportifs du bahut. Elle est plutôt cool.) Elle ne peut pas déjà être là. Sinon, on l'entendrait.

Joel entre et vient s'asseoir avec nous. Lui et Riley ne sont pas dans la même classe, cette année, donc ce sera moins gênant à leur prochaine rupture. Quand Callum arrive droit sur notre table, notre petit groupe est presque au complet. Je l'ai vu deux ou trois fois seulement au cours des vacances. Ça fait du bien d'être intéressée par quelqu'un d'autre, de connaître de nouvelles possibilités.

– Salut, tout le monde, lance-t-il, le sourire aux lèvres. Taylor, tu es très en beauté !

J'ai toujours trouvé Callum beau gosse. Il a les cheveux hyper-raides, mais arrive toujours à les coiffer en bataille. Il y a quelque chose de différent chez lui. Sa façon de carrer les épaules en marchant, de tourner la tête et de me regarder droit dans les yeux. Il se déplace avec une confiance que je n'ai jamais remarquée jusqu'ici.

– Oh, merci.

Je me doute que ce n'est pas vraiment ce qu'il pense, mais ça ne m'empêche pas de rougir. On est proches et à l'aise l'un avec l'autre. C'est peut-être pour cette raison qu'il ne me voit que comme une amie. D'un coup, je me rends compte de ce qui a changé chez lui.

– Callum, t'as lâché l'appareil ! Regarde un peu, t'as des dents parfaites. Fais voir ! (Je lui tiens les deux joues et il me décoche un large sourire.) Waouh !

Il est content, ça se voit. Il n'arrête pas de sourire.

– Joel, Riley, comment ça se...

– Oh, ça y est, dit Riley, couvrant la voix de Callum. Elle est là.

Sierra passe la porte du self et pousse des cris en m'apercevant, alors qu'on s'est vues il y a quelques jours à peine. Ses parents n'ont pas levé l'interdiction : elle n'a toujours pas accès à Internet chez elle ni sur son téléphone, et ils lui ont même bloqué la fonction SMS. Son portable lui sert seulement pour les coups de fil, et encore, ils vérifient tout son journal d'appels. Du coup, quand elle voit du monde, elle est complètement folle.

J'ai super-envie de lui parler de Jacob, mais je ne me vois vraiment pas lui raconter mes aventures devant Callum. Remarquez, il s'en ficherait sans doute. De toute façon, je suis surexcitée à l'idée de peut-être partir à la neige avec Sierra l'année prochaine, alors il faut que je lui annonce tout de suite.

– Devine !

– Attends d'avoir mon info à moi ! Tu vas pas y croire ! s'exclame Sierra.

– C'est quoi, tes news, Tay ? me demande Callum sans tenir compte d'elle.

– Fermez-la, tous ! s'écrie Sierra, qui écarte Callum d'un geste. Il faut que je vous raconte. (Elle sort de sa poche une clé attachée à un long ruban rouge.) Regardez ce que j'ai trouvé, chantonne-t-elle en sautillant sur place. (Elle sourit tellement que son visage paraît sur le point de craquer. Elle balance la clé sous notre nez.) C'est celle du bureau de ma sœur, explique-t-elle en baissant la voix. Elle est encore aux États-Unis avec papa. Alors, devinez à quoi j'ai eu droit tout le week-end ?

– De l'herpès ? suggère Riley, s'attirant les rires des deux garçons.

– La syphilis ? l'appuie Joel.

– Mais non, pas de MST ! s'esclaffe-t-elle.

Nous la regardons tous, dans l'expectative. Elle fait durer le suspense, puis, prête à éclater, annonce :

– Ça commence par un O. Allez, devinez ce que j'ai fait. Deuxième indice, ensuite c'est un R.

– Ornithorynque ? propose Riley.

Tout le monde rigole et Sierra s'écrie :

– Ordi ! J'ai pris celui de Cassy dans son bureau et j'ai pu aller sur Internet ! explique-t-elle avec un cri de joie.

– Ok... Super, commente Callum avant de se retourner vers moi. Alors, Tay, ton histoire, maintenant.

– Mais non, c'est pas tout ! l'interrompt Sierra. La grande nouvelle, c'est que j'ai chatté en ligne avec un mec tout le week-end. OMG, il est parfait !

J'observe Callum pour détecter des signes de jalousie. Son expression reste neutre, mais il est peut-être du genre à dissimuler. À l'intérieur, il est sans doute dégoûté.

– Et on se rencontre vendredi soir ! Taylor, c'est lui ! Tu sais, « Depuis quand on trouve des beaux mecs sur ce site ? » C'est Jacob ! « J, c'est l'initiale de Jacob. »

Je reste clouée sur ma chaise.

– Il s'appelle Jacob Jones, informe-t-elle les autres, avant de se retourner vers moi. C'est la folie, tu vas devoir m'aider. Faut que tu m'invites chez toi vendredi soir ! Et...

Sans prendre le temps de respirer, Sierra expose son plan en débitant mille mots à la seconde, mais ses paroles sont couvertes par un bourdonnement dans mes oreilles. J'ai du mal à respirer. Brièvement, je rencontre le regard de Riley, mais je me détourne vite. Elle comprend très bien qu'il ne faut rien dire.

– Taylor ? s'écrie Sierra toujours devant moi, des étincelles dans ses yeux bleus. Tu te rappelles pas ? Le mec de Mysterychat ! répète-t-elle d'une voix suraiguë qui me vrille les tympans.

– Je peux pas rester à écouter ça, décrète Riley, qui ramasse son sac et s'éloigne en bousculant un peu Sierra.

– Ben quoi ? lance Sierra derrière elle. (Elle se retourne vers nous.) Qu'est-ce qu'elle a ?

– Je vais la voir, décide Joel, qui part dans la même direction.

– Ils se sont encore disputés ? demande Sierra.

Incapable de répondre, je hausse les épaules. La sonnerie annonce le rassemblement matinal de toutes les classes.

– Alors, qu'est-ce que t'en dis ? (Enfin, elle capte mon expression et son sourire s'efface.) Ça va ? T'as pas l'air en forme.

Avec un signe de dénégation, je prends mon sac.

– Je me sens pas bien.

Je pars dans la direction opposée de tous les autres, Sierra sur mes talons.

– T'as envie de vomir ? Je peux t'aider ? Tu veux que j'aille chercher quelqu'un ?

– Non, je te retrouve plus tard.

– T'es sûre ? Je peux venir avec toi.

– Mais non, tu vas t'attirer des emmerdes. Vas-y.

– Bon, si t'es sûre. Mais je passe te voir après.

Elle court vers le grand hall.

De mon côté, je me dirige vers les toilettes et m'enferme dans une cabine. Là, je m'appuie contre la porte, de grosses larmes roulent sur mon visage. Je me sens humiliée d'avoir cru que Jacob s'intéressait à moi. Humiliée de l'avoir raconté à Riley. Comment ai-je pu croire qu'un mec comme lui pourrait s'intéresser à une fille dans mon genre ? Comme s'il était dans mes cordes. Je bous de fureur que Sierra obtienne toujours ce que moi je désire. Même petite, elle avait tout ce que je voulais : un meilleur vélo, des fringues plus sympas, de la musique plus cool, des vacances de rêve, deux parents... Elle a embrassé Callum, puis l'a jeté comme si de rien n'était, et maintenant, elle récolte Jacob Jones. J'étais complètement à côté de la plaque ! Des fois, je la déteste et je me déteste de la détester. Je suis débile d'être jalouse. Peut-être que je me déteste, tout court.

On frappe à la porte de mon box.

— Tay, tu es là ? C'est Riley, ouvre ! (Je déverrouille le battant.) Tu veux que j'entre, ou tu sors de là ?

— Je compte pas sortir.

Elle s'introduit dans le petit espace et nous nous retrouvons face à face, chacune adossée à une cloison.

— Après avoir chatté avec lui aussi longtemps, tu vois, je croyais qu'il était intéressé. Mais en fait, c'était elle qu'il préférait, depuis le début. Pourvu que j'aie jamais à le rencontrer... (J'enfouis mon visage dans mes mains. Je suis trop bête. Je n'ai jamais été aussi gênée de ma vie.) N'en parle jamais à Sierra, surtout. Tu dois me trouver ridicule...

— Non. Je pense qu'elle est dégueulasse.

— C'est pas sa faute, elle n'est même pas au courant...

— Ben à ta place, je lui en voudrais à mort.

— Ce n'est pas sa faute si elle a ce physique, et que moi...

Je m'arrête, parce que je suis lamentable.

— Qu'est-ce que tu racontes ? T'es canon.

Je m'oblige à sourire et elle m'embrasse.

— Allez, dis-je. On s'en va.

Je n'ai pas envie de subir un discours d'encouragement de Riley.

Pendant la pause déjeuner, nous mangeons sous un arbre, devant le bâtiment principal, avec Sierra qui n'arrête pas de parler. J'ai droit à un compte-rendu détaillé de ses échanges avec Jacob. Riley, qui n'en peut déjà plus, est partie avec Joel. Callum joue au cricket avec d'autres mecs. J'espère qu'il ne recevra pas la balle dans ses belles dents toutes neuves.

– Donc l'idée, c'est qu'on se retrouve vendredi après les cours. Ça sera notre « jour J », explique-t-elle avec un petit rire. Et devine, un peu ! Il était là pour les Jeux olympiques d'hiver ! On était tous les deux spectateurs pendant l'épreuve de Chumpy Pullin. C'est dingue, hein ?

– Trop fort, dis-je, en toute sincérité.

– Et on était aussi au concert de Pink. On a les mêmes photos. C'est comme si c'était écrit d'avance, tu vois ? Comme dans les films où t'as deux âmes sœurs qui se croisent tout le temps, destinées à se rencontrer, et puis un jour, ça arrive et tout est parfait. Tu imagines la probabilité de rencontrer un mec comme ça sur Mysterychat ? Une chance sur quarante-douze milliards, à mon avis. Du coup, tu viendras avec moi, vendredi ? Maman voudra bien que je dorme chez toi, le soir. On pourrait retrouver Jacob au centre commercial, et puis toi, tu irais faire un peu de shopping pendant qu'on reste tous les deux.

– Euh... (Ma voix s'étrangle et je déglutis pour essayer de m'éclaircir la gorge.) Je t'attendrai chez moi, et tu pourras passer après ton rendez-vous.

– Tu peux pas venir ?

– Non, j'ai promis à Riley de l'aider à faire un truc l'après-midi. Et puis bon, t'auras pas envie que je reste tenir la chandelle, quand même.

Sierra pince les lèvres d'un air déçu.

– Je pourrai rester jusqu'à lundi ? Ma mère est bénévole à une collecte de fonds pour un hôpital tout le week-end, et sinon, elle va engager quelqu'un pour me surveiller. T'y crois, toi ? Une baby-sitter !

Je suis contente qu'elle ne m'ait pas cuisinée sur les raisons de mon refus de l'accompagner.

– Et sinon, comment tu t'es débrouillée pour passer autant de temps sur Internet sans qu'elle s'en rende compte ?

– Elle pensait que je dormais. Elle ne sait pas que j'ai pris l'ordi de Cassy. Si Cassy le savait, elle serait furax. Elle penserait que j'ai fouillé dans ses dossiers. Genre, ça m'intéresse ! lance Sierra avec exaspération. Bon, en fait, cette fois-ci, elle ne m'a pas trop pris la tête, aux States. Sans doute parce que c'est elle qui est restée finir la saison avec papa et que c'est moi qui revenais en Australie. Tu te souviens, maman ne voulait pas qu'elle manque le lycée, parce qu'elle était en dernière année ? Du coup, c'est moi qui étais restée avec papa, et Cassy en avait fait tout un plat, à dire que j'étais la préférée de papa, et compagnie ? Ben maintenant qu'elle n'est plus au lycée, et que c'est moi qui dois rentrer plus tôt, je crois qu'elle comprend que je ne le suis pas. La préférée de papa, je veux dire.

Pendant que Sierra blablate, je regarde la lumière jouer sur sa peau brune, sans la moindre imperfection. Elle est dotée de la parfaite combinaison de gènes. Sa sœur a le même teint, mais une ossature plus large et des traits moins doux. Encore une raison, sans doute, pour qu'elle déteste tant Sierra : elle a sûrement l'impression d'être en permanence en compétition. Sérieux, parfois, je me dis que Sierra est même *plus* jolie que Taylor Wolfe. Ses cheveux sont toujours comme il faut, ne frisottent jamais. Elle a un tout petit nez et des yeux d'un bleu lumineux. Elle est la copine parfaite pour Jacob.

Je sens les larmes monter, mais je les ravale. Je pourrais me donner des gifles. Comment ai-je pu être aussi bête ? Penser que...

– J'ai tellement hâte ! s'écrie Sierra, qui est repartie sur son jour J. Qu'est-ce que je peux mettre ? Je me disais, mon nouveau top bleu.

Avec un haussement d'épaules, j'approuve d'un signe de tête. Quelle importance ?

– Et Callum, alors ?

Ma question est sortie un peu durement.

– C'est plutôt moi qui devrais te demander.

– Pourquoi ?

– T'es aveugle, ou quoi ?

– Pardon ?

Je fronce le nez.

– Il est à fond sur toi, me dis pas que tu n'as pas remarqué !

– Mais non, il est timide. C'est toi qu'il aime bien, mais il me parle à moi, parce que je suis plus accessible.

Sierra secoue la tête et lève les yeux au ciel.

— Bon, pour ce que ça vaut, et au cas où tu aurais un petit quelque chose pour lui... j'ai un truc à t'avouer.

Sierra déglutit fort et baisse les yeux. Après avoir décroisé les jambes, elle prend une profonde inspiration et redresse les épaules, comme pour se préparer... C'est pas vrai, elle va m'annoncer qu'elle a couché avec lui.

— Quoi ?

— C'est vraiment la honte, mais il faut que je te le dise. Il ne s'est rien passé. J'ai été trop bête.

Elle se passe les mains dans les cheveux, le visage tout rouge.

— Comment ça ?

Je n'arrive pas à contrôler ma voix, devenue trop aiguë.

— Tu sais, l'autre jour, quand je t'ai dit que j'avais embrassé Callum ? En fait, non. J'ai essayé, mais il a reculé. C'était super-humiliant. J'étais saoule de chez saoule, et je croyais qu'il en avait envie, mais je me plantais. Le truc, c'est que les gens qui étaient à la fête nous ont vus, et certains ont cru que c'était vraiment arrivé. Du coup, j'ai fait comme si.

— Mais... pourquoi mentir ?

— Je sais pas... sans doute parce que je me suis fait rejeter, comme ça, devant tout le monde. J'avais la honte, mais jusqu'à l'autre jour, je n'avais pas compris que tu l'aimais bien. Genre, vraiment bien. Du coup, je te dis la vérité. Juste au cas où.

Alors là, je suis perplexe. Je ne sais pas quoi penser ni comment réagir. Est-ce qu'elle a menti l'autre jour ? Ou alors maintenant ? J'ai envie de lui raconter mes sentiments pour Callum, mais je n'ose pas, pour me préserver d'une humiliation potentielle. Je n'arrive pas à croire ce qu'elle vient de me balancer. Personne ne dit jamais non à Sierra. Elle obtient toujours ce qu'elle veut. Callum ne me choisirait pas, moi plutôt qu'elle. Personne ne le ferait.

– Au fait, qu'est-ce qu'elle a, Riley ? demande Sierra pour changer de sujet. Elle a pas arrêté de me lancer des sales regards, toute la journée. Au moindre truc que je disais. Qu'est-ce que je lui ai fait ? (Elle s'interrompt et se frotte les yeux.) Je parle peut-être trop des States. C'est ça, j'en fais trop ?

– Ben, non, tu as le droit d'en parler. Nous aussi, on raconte nos vacances. C'est juste qu'à côté, c'est moins palpitant.

– Et puis, quand elle était allée aux îles Fidji, elle nous avait bassinés avec ça, on n'en pouvait plus. Et elle n'arrête pas avec Joel, non plus. Où est la différence ?

– Tu devrais peut-être en parler avec elle ?

– Alors, au sujet de Callum, on est au clair ?

Cette fois, Sierra me regarde droit dans les yeux, et c'est à mon tour de les détourner.

– Bien sûr. Je vois même pas pourquoi tu en reparles tout le temps.

Là, elle hoche la tête et son visage s'illumine.

– Bon, mon jour J. Je t'ai dit que c'est comme ça qu'on l'appelle ?

Juste cinquante-huit millions de fois. Au secours, abrégez mes souffrances !

La journée s'éternise et je n'arrive pas à me sortir de Sierra, de Jacob Jones et du jour J. À chaque anecdote que raconte mon amie, je me rends compte que je ne savais rien sur Jacob. Et son aveu à propos de Callum me trotte dans la tête toute la journée. J'ai vraiment envie que ce soit vrai, mais cette histoire n'a rien de logique. Sierra qui ferait des avances à Callum, et il dirait non ? Peu probable. Je ne sais pas si elle invente cette histoire pour être sympa ou si elle dit la vérité pour être sympa. Tout est si épuisant, aujourd'hui.

Enfin, les cours se terminent et je suis bien contente d'être seule sur le chemin du retour. Les pensées tournent dans mon crâne et à chaque pas que je fais, ma colère grandit. Comme si c'était possible que Callum ait repoussé Sierra. Et si Sierra pensait qu'il me plaisait tant, pourquoi a-t-elle essayé de l'embrasser ? Sierra, Sierra, Sierra ! Je n'en peux plus de la voir. Elle et son jour J... L'idée de la revoir demain au lycée me donne envie de hurler.

Toutes ces émotions ne me plaisent pas du tout.

Une boule se forme dans ma gorge. J'essaie de penser à autre chose que Sierra, Jacob Jones, le jour J, Callum et le baiser qui a peut-être eu lieu, mais on n'en sait rien.

Arrivée à la porte de chez moi, j'entre en espérant passer la cuisine sans devoir parler à maman.

– Bonjour.

Ma mère est assise à la table, le dos bien droit et un sourire immense sur le visage. Soit elle a pété un câble, soit elle a gagné au loto. Sous ses mains, une enveloppe.

– Salut, dis-je avec raideur.

Je voudrais juste aller pleurer dans ma chambre. J'ai besoin de me laisser aller. Respire lentement, me dis-je. Je souffle comme si j'avais une paille dans la bouche.

– J'ai une surprise, m'annonce maman.

J'attends, méfiante.

– Tu ne t'assieds pas ?

– Je devrais ? C'est une mauvaise surprise ?

– Houlà, tout va bien ? Le lycée ?

J'acquiesce, mais le feu me monte aux joues. Je ne sais pas d'où me vient ce gène qui me fait rougir. Maman n'en est pas atteinte, et papa ne l'était pas non plus. Ça doit être un genre de mutation, où tout part en sucette en s'associant.

– Bon, voilà qui devrait te faire sentir un peu mieux, déclare maman en me faisant passer l'enveloppe sur la table.

Je finis par m'asseoir pour l'ouvrir et il en tombe une brochure qui montre Vail Mountain, dans le Colorado. Par ailleurs, un papier présente un itinéraire à mon nom et celui de maman. Pour janvier de l'année prochaine. J'en ai une boule à l'estomac.

– Qu'est-ce que c'est ?

– J'ai réservé ! Aujourd'hui, m'explique maman, dont le sourire est si large que j'aperçois sa couronne au fond. J'ai appelé Rachel pour savoir où elles séjournent, et j'ai loué un logement juste à côté, pour que tu puisses voir Sierra.

– Comment tu as pu être aussi... spontanée ?

Ma mère arrête de sourire.

– Spontanée ? Je réserve un an à l'avance, il me reste douze mois pour organiser.

– On ne peut pas se le permettre. Il va falloir que tu fasses des heures sup', ou que tu passes de service de nuit. Tu es déjà plus souvent à l'hôpital qu'à la maison.

C'est faux, je délire complet. Elle n'y est que le matin, mais je n'ai pas d'autre argument. Tout ce que je me dis, c'est que je vais être à la ramasse derrière Sierra pendant deux semaines. Elle aura un look fabuleux, et je serai enterrée dans la neige jusqu'au cou. Elle emmènera sans doute Jacob... J'éclate en sanglots.

– Je veux pas y aller !

Je cours jusqu'à ma chambre, où je me couvre la tête de mon oreiller et pleure si fort sur mon lit que j'en ai mal à la tête. Je recommence à faire comme si je respirais par une paille jusqu'à me calmer. Après avoir frappé un petit coup, maman entrebâille la porte.

– Tu veux en parler ?

J'enfouis ma tête pour pleurer encore.

– Non.

– Il s'est passé quelque chose avec Sierra, aujourd'hui ? Vous vous êtes disputées ?

– Je veux pas en parler, j'ai dit !

Après une pause, le rai de lumière disparaît et les bruits de pas s'éloignent. Je me sens encore plus mal.

Ce n'est pas comme si je pouvais couper les ponts avec Sierra : nos mères sont meilleures amies.

Elles ont grandi ensemble, ont fait l'école d'infirmières ensemble, se sont mariées à la même période, et nos pères étaient copains depuis déjà longtemps à ce moment-là. Elles ont décidé d'avoir des enfants en même temps, mais ma mère n'a pas réussi. Après cinq ans, sa FIV a fonctionné, et Rachel attendait Sierra quand maman est tombée enceinte de moi. Sierra et moi, on a entendu cette histoire des milliers de fois. À écouter nos mères finir les phrases l'une de l'autre quand elles la racontent, on croirait que c'est ensemble qu'elles ont eu leurs enfants.

Pour moi, Rachel a été comme une seconde mère. Quand papa est mort, elle était toujours là. Plus, en fait, que n'aurait voulu maman. Rachel consacrait tout son temps libre à ce qu'elle pensait utile pour nous. Je me rappelle avoir entendu maman se disputer avec elle dans notre cuisine.

« J'ai besoin de respirer, disait ma mère d'un ton sec.

– Pas de problème, je vais emmener Taylor faire un tour, avait répondu Rachel.

– Non, je veux qu'elle reste là.

– Je trouve qu'elle ne devrait pas être seule pendant que tu "respires", avait répliqué Rachel d'un ton sévère. Elle a besoin de beaucoup d'amour et d'attention, en ce moment.

Maman avait éclaté en sanglots.

– Je peux pas. J'y arrive pas.

– Je sais, avait dit Rachel en la prenant dans ses bras. On va faire en sorte qu'elle aille bien. On va s'en sortir. »

Ce jour-là, j'étais allée dormir chez Rachel, et j'y étais restée un moment, le temps que maman prenne soin d'elle-même. Je me souviens que Rachel m'avait dit que j'étais « chez moi ». Là-bas, l'humeur était différente. Il y avait des rires. Si Sierra avait quelque chose de neuf, on me l'achetait aussi. J'avais mon lit, là-bas, avec ma couette à moi et une étagère dans l'armoire. Je suis devenue un membre de leur famille.

Quand je suis retournée avec maman, Rachel m'a dit que je n'avais pas à demander si je pouvais venir : leur porte était ouverte, même quand Sierra n'était pas là. Quand j'ai été plus grande, elle m'a même montré où on cachait la clé de leur maison. Son amour était sans limites.

Riley a tort au sujet de Sierra : elle n'est pas « dégueulasse ». Elle oublie avec une facilité impressionnante le monde qui l'entoure, c'est tout. Sa mère est un peu la mienne aussi, et elle, je l'aime comme une sœur. Je fais toujours beaucoup d'efforts pour ne pas être jalouse d'elle. J'imagine que ce qui concerne Jacob et Callum fait encore partie de ce processus.

Après avoir pleuré pendant ce qui me semble des heures, j'ai la gorge si sèche que je descends boire. En me dirigeant vers la cuisine, je décide de continuer à faire du sport. Je n'ai pas besoin d'avoir quelqu'un qui me donne envie d'être belle. Je veux être en meilleure santé et me sentir mieux dans ma peau, pour moi.

De retour vers ma chambre, je m'arrête à la porte de maman, qui est toujours ouverte. Elle dort. Je me sens nulle de lui avoir gâché sa surprise.

J'enfile mon pyjama et me brosse les dents, puis je retourne dans sa chambre me glisser dans son lit ; après la mort de papa, c'est ce que je faisais quand j'étais trop triste pour dormir seule. Bien au chaud, je me sens aimée et en sécurité.

TROIS

Quand je me réveille, maman est partie. Son service commence à sept heures, alors elle doit être partie avant six heures et demie. Mon estomac me paraît vide, mais au coup d'œil, ce n'est pas du tout le cas. Je mets un jogging et des tennis pour partir courir. Je manque d'énergie et je trouve mes jambes lourdes et lentes. Glamour, quand tu nous tiens... Cependant, il n'y a personne pour me voir avec ma tenue ridicule et mon visage couvert de sueur, alors je m'accroche et m'efforce d'insuffler un peu plus de punch dans chaque foulée. Je suis à peu près sûre que mes yeux sont encore rouges d'hier soir, mais j'espère qu'au moins, mon visage aura repris sa teinte normale d'ici l'heure du lycée.

Quand j'arrive au self, Riley est déjà avec Callum et Joel.

– Coucou, Taylor, dit-elle, en s'étonnant devant mes yeux gonflés.

– Salut, Tay, me dit Callum, qui bloque sur mon visage.

Il tapote Joel sur le bras, se lève et lui fait signe de le suivre.

– Ben quoi ? fait Joel.

– Viens, deux secondes.

– Pourquoi ?

Riley lui balance un coup de pied dans le mollet. Il me regarde, grimace et bondit de sa chaise. Les mecs détestent quand les filles sont en proie à l'émotion.

– Ça va ? me demande Riley une fois qu'ils se sont éloignés.

– Ça va. Je me suis disputée avec ma mère hier, et je me sens minable sur tous les plans. Je vais m'en remettre.

– Tu veux en parler ?

– Bof, je vais avoir mes règles, ça me met toujours à cran.

– Tay, tu sais très bien que ça n'a rien à voir. Et si tu lui parlais, à elle ? Que ce soit elle qui se sente minable, pour une fois.

– Et qu'est-ce que ça changerait ? C'est elle qu'il a choisie. Et de toute façon, c'est pas le problème.

– Tu trouves toujours des excuses à Sierra.

– Mais non. Elle ne sait même pas que j'ai chatté avec Jacob. C'est moi qui lui cache des trucs.

Riley regarde par la fenêtre.

– Tu ne vas quand même pas la couvrir vendredi ?

– Je voulais t'en parler. Elle m'a demandé de l'accompagner, alors je lui ai raconté que je devais venir t'aider après les cours.

Devant l'air réprobateur de mon amie, je reprends :

– Allez, qu'est-ce que je pouvais dire ? Elle m'a prise au dépourvu. S'il te plaît, Riley, je ne peux pas y aller avec elle.

– Tu n'as qu'à dire non, point barre ! Sinon, bien sûr que tu peux venir. Joel devait être là, mais on n'avait rien prévu de spécial. De toute façon, tu sais ce qui va se passer, non ?

– Quoi ?

Riley me regarde comme si j'étais demeurée, puis prédit :

– Elle va se faire griller. Ses parents sont déjà remontés depuis le jour où elle a envoyé les photos de ses seins aux mecs, là. Mais cette fois, tu vas plonger avec elle. C'est ça qui m'énerve le plus. Elle se fiche royalement de qui elle entraîne dans sa galère.

– Aller passer quelques heures en ville un vendredi après-midi, c'est pas la mort. Et je n'aurai même pas à mentir pour elle. Je dirai juste à ma mère que je vais chez toi après le lycée. Sierra sera là quand je rentrerai. Tout colle.

– C'est toi qui vois, mais moi, je veux pas être mêlée à cette histoire. Après la fois où elle s'est barrée en douce avec Matt – tu te souviens ? Non, plus jamais je la couvre.

– Ah oui, dis-je en riant, elle était complètement à fond, alors qu'il était trop con !

Riley rit aussi, mais s'interrompt d'un coup. Je suis son regard : Sierra est arrivée. Une bouffée d'air lui arrive au visage quand elle pousse la porte, et ses cheveux volent derrière elle comme si elle tournait dans un clip. Elle sourit, révélant ses dents d'un blanc éclatant.

– Salut, les belles.

Je me sens mal qu'on vienne de parler dans son dos, et je rougis. Son sourire s'efface et elle demande :

– Il s'est passé quelque chose ?

– Oh là là, j'ai une sale tête à ce point ?

– Oui, répondent-elles en chœur.

Pendant la pause, je regarde mon visage dans le miroir. Il est moins bouffi que tout à l'heure, et on commence à revoir le blanc de mes yeux. Mes prunelles bleues semblent grises et délavées en contraste avec le rouge restant. J'ai la peau pâle et terne, ce qui fait paraître mes cheveux plus noirs. Les taches de rousseur peu marquées sur mon nez ressemblent à un coup de soleil. Niveau coiffure, c'est un jour sans, ce qui n'aide pas. J'aurais dû bien sécher mes cheveux ce matin, et me faire un brushing. Je passe mes mains mouillées dessus, en espérant les lisser un minimum, mais je sais que ça ne va pas durer longtemps.

Je tire sur le devant de ma robe. Ça m'énerve qu'elle remonte comme ça, et les boutons ont l'air de ne tenir qu'à un fil, mais je refuse de prendre la taille au-dessus pour mon uniforme scolaire. Je recule pour mieux me voir dans le miroir. Je soulève un bras pour vérifier s'il est vraiment énorme, et je me tourne pour le regarder de profil. À ce moment-là, une autre fille arrive, et je fais comme si j'étais en train de partir.

Je retrouve les autres au réfectoire, qui est bondé : tout le monde essaie d'échapper à la chaleur de l'extérieur. Je garde les bras baissés pour masquer les auréoles de sueur que j'ai repérées dans les toilettes.

Je me serre entre Callum et Riley, de vraies sardines dans leur boîte.

– Alors, le jour J arrive. Qu'est-ce que tu as prévu ? dis-je en affectant l'enthousiasme.

Je sais que Sierra va vouloir en parler toute la semaine. Il va falloir que je m'en remette, et le mieux, c'est de ne pas reculer. J'ai stressé tout l'été à propos d'elle et Callum, alors je ne vais pas commencer l'année en me prenant la tête sur Jacob. Je ne l'ai pas perdu, sachant que je ne le connais même pas. C'est ce que j'essaie de croire, en tout cas.

À ma question, un grand sourire s'épanouit sur le visage de Sierra.

– On s'est parlé en vrai, hier soir ! Au téléphone ! (Elle prend une grande inspiration, l'expression rêveuse.) On a tant de choses en commun...

– Et si vous vous mariez, tu deviendras Sierra Carson-Mills-Jones ? dis-je en pouffant. Ou juste Sierra Jones ?

– Et imagine s'il avait un nom composé lui aussi, renchérit Callum. Genre, Jones-Smith. Tu serais Sierra Carson-Mills-Jones-Smith ! Et alors, si vos enfants épousaient quelqu'un qui porte un nom composé, ça donnerait Carson-Mills...

– C'est bon, on a compris.

Je donne à Callum un coup de coude amical dans les côtes. J'ai bien remarqué qu'il n'avait pas l'air contrarié par l'enthousiasme de Sierra au sujet de Jacob. Peut-être qu'effectivement, il ne l'a pas embrassée...

Nos échanges enjoués se poursuivent tranquillement. Riley a l'air agacée. Je souris devant sa moue en cul-de-poule.

– Vous avez rendez-vous où ? demande-t-elle sans préambule.

– On se disait, devant la boutique de cupcakes, et après, on irait prendre un jus de fruits.

– Wah, top sex ! se moque Callum.

– Je sais, admet Sierra. C'était mon idée, à l'origine, en me disant qu'il fallait prévoir un truc court au cas où, vous voyez, ce serait un gros naze, mais... (Elle s'interrompt avec un petit halètement.) Franchement, je pense que ça sera pas un problème.

– Bon, voilà ce qu'on va faire, dis-je. (Je regarde Riley, pendant que Sierra a les yeux sur l'un des mecs de première, de l'autre côté de la vitre.) Je vais chez Riley vendredi, après les cours.

– Ah ouais ? Cool, on pourrait tous profiter de la piscine, propose Joel.

– Merci de m'avoir invité ! s'offusque Callum.

– On n'allait pas faire la fête, hein, lui dit Riley. Tu peux venir, si ça te dit.

C'est bête, mais je me sens très contente que Callum ait envie de venir, alors qu'encore hier, j'étais toute retournée à cause de Jacob et Sierra.

– Oh, ne vous en faites surtout pas pour votre vieux pote Callum ! Bon, ok, je viens.

Riley lève les yeux au ciel.

– Bref, pour en revenir à Sierra et son beau gosse, dis-je en tapant sur l'épaule de l'intéressée, toujours fixée sur le mec. Tu m'appelles quand tu quittes le centre-ville. On choisira un endroit où se retrouver, et de là, on rentrera chez moi.

– D'accord. Tu en as parlé à ta mère ?

– Non, et je compte pas le faire. Je préfère ne rien dire plutôt que mentir. Et en plus, si elle sait que tu viens, elle va de suite appeler la tienne. Tu n'as qu'à rentrer avec moi après ton rencard. Je dirai que j'ai oublié de la prévenir que tu dormais chez nous.

– J'ai troooop hâte ! s'écrie Sierra. Je crois que je vais éclater en attendant vendredi.

– Beurk, tu évites de nous déballer tes morceaux de cervelle et tes entrailles.

Nous faisons mine de ne pas entendre Riley, qui imite des bruits de vomissement.

La journée s'étire en longueur, mais enfin, la dernière sonnerie retentit. Épuisée d'avoir fait semblant, je me traîne à la maison, où je trouve maman dans la cuisine, en train de préparer le repas. Je lui dis bonjour et m'apprête à m'excuser, puis me ravise en me disant que ce n'est pas le bon moment. Peut-être quand on sera à table. Elle me salue comme si de rien n'était. Maman ne m'en veut jamais. Je vais dans ma chambre, où je retire mon uniforme pendant que mon ordi se lance.

Depuis que j'ai appris que Jacob avait choisi Sierra, j'ai évité de regarder mes mails, mais maintenant, ma curiosité reprend le dessus. Je me connecte, rien de lui. Mon estomac se retourne, mais je pense que ma réaction aurait été la même dans tous les cas. Je change très vite mon fond d'écran. Je ne veux jamais revoir ces abris pour bateaux.

Je retourne en bas, où j'aide maman à faire la cuisine.

– Ta journée s'est bien passée ? demande-t-elle.

– Ouais, ça va. (Je lui raconte quel prof j'ai pour quelle matière.) Et le boulot ?

– Je n'ai pas arrêté. J'étais presque tout le temps à l'accueil des urgences, et c'était le défilé ininterrompu des patients.

J'adore écouter maman raconter son travail à l'hôpital, mais je l'interromps pour enfin lui dire :

– Je suis désolée, pour hier soir.

Elle me sourit et hoche la tête sans rien dire. Elle voit bien que je n'ai pas fini. Les yeux au sol, j'ajoute :

– Et merci d'avoir réservé nos vacances. Je suis sûre que d'ici là, je serai super-contente d'y aller.

– Tu veux qu'on parle de ce qui s'est passé ?

Maman n'insiste jamais. Après la mort de papa, on a fait quelques séances de psy ensemble, et l'un des exercices consistait à ne pas pousser l'autre à parler. Ça permet à celui qui est bouleversé de prendre le temps de faire le tri de ses sentiments sans subir de pression pour en discuter. Ma mère est beaucoup plus douée que moi, qui continue de pratiquer le rentre-dedans. Elle ne le fait jamais, même quand elle a passé une mauvaise journée.

– Non, pas vraiment. Je veux dire, Sierra n'a rien fait de spécial... (J'en reste là.) Vendredi, j'irai sans doute chez Riley, après les cours.

Je ne mens pas, pourtant j'en ai l'impression, et je me déplace d'un pied sur l'autre.

– Elle va bien ?

– Oh, oui. De nouveau avec Joel, dis-je en riant.

– Ah, ouf ! (Ma mère rit aussi et porte la main à sa gorge.) Je priais jour et nuit pour que ça s'arrange entre eux. (Je pouffe devant son air théâtral.) Et Callum, comment va-t-il ?

– Il a des dents parfaites dis-je en rougissant. Tu devrais voir ça. En fait, tu peux, je les ai prises en photo.

Je sors mon téléphone pour lui montrer Callum sans son appareil.

– Super. Ses parents doivent être ravis que ça ait aussi bien marché.

– Ses parents, je sais pas, mais lui, oui. Il n'arrête pas de sourire.

– Et Sierra, alors ? Elle se pose un peu, après son grand voyage ?

– Oui, mais elle râle toujours qu'on lui interdise tout.

– Là-dessus, on ne peut rien reprocher à Dave et Rachel.

– Sans doute.

– Tu auras fini vers quelle heure, vendredi soir ? Si c'est après dix-huit heures, je peux passer te chercher.

– Maman, il fait encore jour deux heures après...

– Je sais, mais l'heure de pointe sera terminée, je n'en aurais pas pour longtemps à venir chez Riley.

– Si c'est après six heures, je t'appelle.

Ma mère a l'air satisfaite de ma réponse. Je fais le calcul : d'ici là, Sierra sera rentrée... non, ce sera plutôt vers dix-neuf heures. J'ajoute :

– Ils parlent de commander des pizzas.

Maintenant que ma mère a établi que je ne rentrais pas à pied après dix-huit heures, elle ne paraît plus ennuyée.

Pendant le dîner, nous bavardons encore, mais je n'arrête pas de repenser à Sierra et Jacob, réunis pour leur rendez-vous. Je redoute les trois jours restants que je vais passer à entendre mon amie délirer sur son jour J.

QUATRE

L e fameux vendredi est là, et Sierra débarque en cours maquillée comme jamais. Elle répète à qui veut l'entendre qu'elle n'arrive pas à croire qu'on y est enfin, qu'elle a une chance de folie et que c'est fabuleux d'avoir rencontré son âme sœur sur Mysterychat. À la fin de la journée, elle se rue aux toilettes pour aller revêtir son short à la Taylor Wolfe avec son nouveau top bleu.

– Alors ? me demande-t-elle, même si elle connaît déjà la réponse.

J'émets un sifflement admiratif en lui prenant le bras. Avec un petit rire, elle s'approche du miroir pour retoucher son maquillage.

Riley vient m'attendre, et appuyées sur le mur, nous bavardons pendant que Sierra continue de se tartiner le visage. Riley, toujours pessimiste, est persuadée que Sierra va m'attirer des ennuis.

– Je dois appeler ma mère si on arrive après dix-huit heures, j'avertis Sierra. Mais tu seras de retour avant, non ?

– Oui, souviens-toi, c'est un premier rencard vite fait. Je t'appelle au moment où je pars du centre-ville. Ça ne sera pas après six heures.

– J'ai déjà entendu ça, marmonne Riley.

– Quoi ? se fâche Sierra qui lui fait face, une main tenant sa brosse à cheveux, l'autre sur la hanche. Riley, tu m'as fait la gueule toute la semaine. Qu'est-ce qu'il y a ?

– Rien, répond celle-ci aussitôt.

Sierra lui envoie un regard noir avant de se retourner vers le miroir.

Riley m'annonce :

– Je t'attends dehors.

Une fois que Sierra a terminé, nous sortons retrouver Riley. Callum et Joel sont là. Nous traversons ensemble le terrain du lycée et Sierra attire beaucoup l'attention. Des garçons comme des filles. Un garçon de notre âge l'observe avec un tel intérêt qu'il rentre dans quelqu'un et trébuche. Sierra fait mine de ne pas remarquer, mais le petit sourire sur ses lèvres la trahit.

Quand nous arrivons au portail, je l'embrasse.

– Bonne chance ! J'espère qu'il sera génial.

– Moi aussi ! (Elle s'arrête dans son mouvement.) Je t'adore !

Elle m'embrasse encore, puis part vers la gare d'un pas léger. Je la suis du regard et je me déteste toujours autant de la détester.

– Taylor Gray, tu es bien plus sympa que moi, commente Riley en secouant la tête.

Si elle savait comme je suis jalouse intérieurement...

Le temps que nous atteignions la maison de Riley, son humeur s'est améliorée. Dès notre arrivée, Joel et Callum se mettent en short de bain pour foncer faire des bombes dans la piscine. J'entre saluer la mère de Riley.

– Bonjour, Kirsty.

Poppy, la petite sœur de Riley, entre dans la cuisine en tenue de danse. Kirsty attrape les clés sur le comptoir.

– Bonjour, me dit-elle. Désolée de partir juste au moment où vous arrivez, mais on est en retard. Les cours de danse reprennent déjà.

Elles disparaissent dans le garage, Poppy toute souriante.

Riley nous verse quatre verres d'eau glacée et coupe un citron vert, dont elle place des rondelles sur nos verres, puis le reste dans une carafe. Nous emportons le tout dehors. Nous nous allongeons dans les chaises longues et sirotons nos boissons en regardant les mecs délirer dans l'eau. Voyant Riley bien installée, Joel sort de la piscine et vient essayer de la prendre dans ses bras.

– Me touche pas ! couine-t-elle.

Avec un rire, il replonge.

Callum sort aussi, il me regarde depuis le bord de l'eau et je lui renvoie un regard meurtrier.

– T'as pas intérêt, dis-je en affectant de ne pas vouloir qu'il m'approche.

Il rit et retourne dans l'eau avec un saut péril-
leux arrière qui m'offre une vue impeccable sur
son corps bronzé et tonique. Je reste à regarder
l'eau en imaginant combien sa peau serait fraîche
sous mes doigts.

Callum est la distraction parfaite, mais quand
une heure se transforme en deux, je me remets à
penser à Sierra.

— Vous ne devez pas être chez toi pour six heures,
avec Sierra ? me demande Callum.

J'ai le cœur serré chaque fois qu'il parle d'elle.
Ils se sont embrassés, ou pas ?

— Non, mais je dois prévenir ma mère si je rentre
plus tard.

— Dans ce cas, tu vas pouvoir sortir ton téléphone.

Je regarde l'heure.

— J'attends le coup de fil de Sierra. Elle a encore
vingt minutes. Elle va pas tarder à m'appeler, maintenant.

— Mais bien sûr. Tout comme elle a passé la nuit
chez moi, la fois où elle s'est barrée avec Matt, me
rappelle Riley.

À ce moment, mon téléphone sonne. C'est elle.
Un grand sourire aux lèvres, je tire la langue à
Riley avant de répondre :

— Coucou, Sier...

Elle me coupe avant que je puisse rien dire d'autre.

— Oh, mon Dieu ! Je plane complet ! Il est top !
(Sa voix est partie dans les aigus, alors elle baisse
d'un ton.) Il a plus de dix-huit ans, c'est clair, mais
bon, moi aussi j'ai menti sur mon âge, alors on est

quittes. Et les mecs plus âgés, ils sont tellement plus sexy ! T'imagines, Tay, on s'est déjà embrassés !

J'écarte le téléphone de mon oreille pour éviter de devenir sourde.

— Pas besoin de t'inventer une excuse pour partir plus tôt, alors ?

Je ris un peu trop fort. La jalousie est de retour, et je sens le rouge me monter aux joues. Je n'arrive pas à croire que j'ai vraiment envie qu'il soit nul et que ça ne marche pas entre eux.

— Non, c'est l'inverse ! Je veux passer la nuit avec lui.

— Quoi ? dis-je, en panique.

— Allez, Taylor ? Tu veux bien me couvrir ? Je le ferais, si c'était toi.

— Ah non, Sierra. Pas question. Tu prévois ça pour une autre fois.

— Je reviens demain matin, à la première heure ! Tout ira bien.

— Et si ta mère appelle la mienne ? Ça suffit pour que tu te fasses choper.

— Elle le fera pas, elle est au week-end caritatif. C'est elle qui organise la collecte de fonds. Allez, une nuit, c'est rien du tout. Je serai chez toi très tôt, demain matin. Promis !

— Et quand ta mère saura que tu n'es pas restée chez moi ? Dès qu'elle aura parlé à la mienne, elle sera au courant.

— Je lui dirai que finalement, je suis allée chez Izzy. Je te demande pas de mentir, juste de ne rien dire. Tout va bien se passer. C'est juste une nuit, pas de quoi en faire tout un plat. (Elle s'arrête.) Ah, on y va. Je dois te laisser, je t'adore !

Elle raccroche, me laissant abasourdie. Riley attend, les yeux rivés sur moi.

– Attends, je devine, dit-elle. C'est le gars le plus craquant qu'elle ait jamais vu et elle passe la nuit avec lui. Pour une surprise...

– J'y crois pas...

– Mouais, classique comme histoire. Elle est trop égoïste. J'espère que tu ne vas pas mentir pour elle, Taylor. Laisse-la se faire prendre.

– Mais elle le connaît, au moins, ce type ? demande Callum, qui écoute avec Joel depuis la piscine. Merde alors.

– Oh, mais oui, trèèèès bien, exagère Riley avec un rire mauvais. Ils se sont rencontrés la semaine dernière sur Mysterychat. Quelle pouf, celle-là, elle est trop bête !

– Houlà ! fait Joel, imité par Callum.

– Tu es dure, ajoute Callum d'un ton moqueur.

– Ben, elle a quand même abusé de ma confiance l'autre fois, avec Matt. Et j'ai menti pour elle.

– Oui, mais il ne s'est rien passé, lui rappelle Joel, qui est toujours la voix de la raison. Tu n'as pas eu de soucis avec tes parents, et elle non plus.

– C'est pas le problème. Elle n'est pas revenue au moment où elle m'avait dit, et j'ai grave flippé. Elle se foutait éperdument de me mettre dans la merde. Et c'est clair, ça la dérange pas non plus de faire pareil à Taylor. Et Tay, qu'est-ce qu'elle peut faire, maintenant ?

Pendant que Riley continue de s'énerver toute seule, j'envoie vite un message à ma mère :

On commande des pizzas. Je t'appelle quand je suis prête.

Elle répond tout de suite :

Pas de pb. Amuse-toi bien.

De plus en plus angoissée, je suis au bord des larmes. Et maintenant, je fais quoi ?

– Et comment je saurai si Rachel a appelé ma mère ?

– On s'en fiche, décrète Riley. Laisse-la se griller toute seule !

Je traîne aussi longtemps que possible chez Riley, mais quand Callum annonce qu'il doit rentrer, j'envoie un texto à ma mère pour qu'elle vienne me chercher.

– Tu voudras qu'on te dépose, Callum ?

– Si ça ne vous dérange pas.

Tu parles, il vit à deux rues de chez nous. Quand ma mère arrive, j'ai l'estomac en boule. Après avoir dit au revoir à Riley et Joel, je monte à l'avant. Maman ne demande pas où est Sierra, donc elle ne doit pas avoir eu Rachel. Je respire un peu plus facilement. Callum fait la conversation à ma mère pendant tout le trajet, ce qui me permet de moins stresser. Si Sierra revient demain matin, tout ira bien. Ce sera à elle de raconter à maman qu'elle a dormi chez Izzy, et ce qu'elle inventera avec sa mère en rentrant chez elle, c'est son problème. Il me suffit de ne pas parler d'elle, et tout va bien se passer.

— Je suis crevée, dis-je une fois à la maison. Je vais aller me coucher, je crois.

J'embrasse maman, qui me serre dans ses bras.

— Bonne nuit, ma chérie, dit-elle avec chaleur.

Allongée sur le dos, je garde les yeux ouverts dans l'obscurité. Je me demande si Jacob a raconté à Sierra qu'il avait aussi chatté avec moi pendant des heures. La honte, sérieux... J'aurais dû en parler à Sierra tout de suite. Si elle le découvre maintenant, elle comprendra pourquoi j'étais bizarre toute la semaine. Si ça se trouve, ils sont en train d'en rire, à l'heure qu'il est ! Quoique, sans doute pas... Je secoue la tête et m'efforce de ne pas m'imaginer à quoi ils sont occupés.

CINQ

J e me réveille tôt, mais je ne décolle pas de
mon lit. Avant dix heures, rien ne paraîtra
inhabituel. Ensuite, l'heure approche sans
que j'aie eu de nouvelles. J'appelle sur son
portable, mais je tombe sur la messagerie et je
marmonne :

– Sérieux, Sierra, où tu es passée ?

Je m'assieds au bord du lit. Si jamais son portable
est tombé en rade, elle m'aura peut-être envoyé un
mail ou un message depuis le téléphone de Jacob.
Je vérifie toutes mes messageries sur ma tablette,
mais rien. C'est là que je commence à comprendre
pourquoi Riley ne lui a jamais pardonné.

Je réessaie de l'appeler, sans résultat.

Bon, je vais aller faire un jogging, en espérant
qu'elle se soit faufilée en douce dans la maison d'ici
mon retour. Dans le jardin de derrière, je trouve ma
mère en train de lire le journal.

— Salut, la marmotte, dit-elle avec un sourire.

— Salut, maman.

Elle n'est au courant de rien, sinon elle m'aurait réveillée.

— Tu pars courir ?

— Oui. Cette fois, j'ai vraiment, vraiment envie de m'y tenir.

— Eh bien si tu as « vraiment, vraiment » envie, tu vas y arriver ! Je prépare une salade de fruits pour ton retour.

— C'est gentil.

Je cours jusqu'au coin de la rue, mais ma colère me distrait complètement. Je me remets à marcher et sors mon téléphone pour appeler Riley.

— Coucou.

— Salut, Riley.

— Elle s'est pointée ?

— Non... Je sais pas quoi faire.

— Rien du tout ! Si Rachel appelle, tu lui dis la vérité.

— Oui, mais du coup, je serai dans les emmerdes jusqu'au cou. Ma mère me tuera.

— Alors, joue les idiotes. Tu ne sais pas du tout où elle est, et elle n'a jamais dit qu'elle viendrait chez toi, tu n'es au courant de rien.

— Hmm...

Je réfléchis pendant que Riley se lance dans son speech sur le thème « je te l'avais bien dit », que je n'écoute pas.

En raccrochant, je ne sais toujours pas plus ce que je devrais faire, et quand j'accélère de nouveau l'allure, c'est comme si mes jambes refusaient de fournir l'effort. Jusqu'ici, je courais jusqu'au quartier de Templestowe, où j'hallucinais sur la taille des maisons, mais aujourd'hui, je n'arrive même pas à les remarquer. Je me remets à marcher pour de bon. Je dois décider quoi faire avant de rentrer : soit j'avoue tout, soit je suis le conseil de Riley. Si je raconte tout à maman, je suis morte. Elle me privera sûrement d'Internet, comme Rachel l'a fait avec Sierra.

J'imagine comment j'aurais agi si c'était moi que Jacob avait voulu rencontrer. J'y serais allée, mais je ne serais pas restée passer la nuit avec lui, surtout si ça avait impliqué d'attirer des ennuis à Sierra. Elle n'a pas du tout pensé à moi. Elle se fout de moi, tout comme elle se foutait de Riley quand elle lui a fait le même coup. Et puis tant pis, je vais jouer les idiotes. Elle se dépatouillera toute seule.

Je tente de visualiser la scène. Maman recevra un coup de fil de Rachel. « Non, elle n'est pas là, dira-t-elle. Je ne l'ai pas vue. » Elle viendra me trouver pour me demander : « Tu sais où est Sierra ? » C'est là que je devrai garder mon calme. La fraction de seconde où je me rendrai compte que ça y est, le plan est à l'eau. C'est à ce moment-là que je risque de me trahir. Il faut que je m'entraîne : l'expression innocente, le ton de voix, ce que je dirai exactement.

Je ne vais pas y arriver.

À l'heure actuelle, je hais Sierra Carson-Mills.

Quand je reviens, maman est à la cuisine, avec un grand saladier de fruits débités devant elle sur le comptoir. Elle le répartit en deux coupelles.

– On n'a qu'à manger dehors.

Je la suis dans le patio.

– Et Sierra, qu'est-ce qu'elle a de prévu ce week-end ? demande-t-elle.

Je ne m'attendais pas à cette question.

– Je sais pas trop, mais Rachel avait un gala de charité tout le week-end. Elle devait avoir prévu quelque chose pour Sierra. Elle doit toujours être surveillée en permanence.

Je m'assieds pour commencer à manger, les yeux baissés. C'était mon point de non-retour. J'ai de la chance d'être déjà rouge après le jogging : ça masque mes joues qui s'enflamment.

– Ah c'est vrai. C'est sans doute pour ça qu'elle ne répond pas au téléphone.

Mon cœur se serre à l'idée de ma mère qui appelle Rachel.

Rien de bon ne va ressortir de cette histoire. J'ai le ventre noué par l'angoisse.

Quand la sonnette retentit, je manque de recracher mes fruits sur la table. Je file ouvrir en criant que j'y vais. En apercevant Callum, je le salue d'une voix éteinte.

– Tu sais t'y prendre pour qu'on se sente bienvenu ! s'exclame-t-il en riant.

– Désolée. J'espérais que ce serait Sierra, dis-je en baissant le ton.

– Elle n'est pas encore rentrée ? s'inquiète-t-il.

– Non. Et toi, qu'est-ce que tu fais ?

– Je vais acheter des nouvelles poignées pour mon guidon. Je me suis dit que tu voudrais peut-être venir avec moi.

Est-ce qu'il espérait trouver Sierra ici ?

– Ok, ça marche. Je suis en train de manger une salade de fruits, tu en veux ?

– Difficile de refuser.

Nous retournons au patio, où j'annonce à maman :

– C'est Callum, avec ses belles dents !

– Voyons, dit-elle. Ma parole, ton orthodontiste a fait un boulot sensationnel !

Callum est rayonnant. Je le regarde de haut en bas. Il a une belle carrure, une peau sans défauts, et ses cheveux raides en bataille lui vont super-bien. Encore une fois, je remarque chez lui une confiance nouvelle. Il se tient plus droit, on dirait.

– On va faire du shopping, chercher des poignées pour le vélo de Callum.

À cette explication, un sourire flotte sur les lèvres de maman.

– C'est bien, se contente-t-elle de dire.

Mais ce « bien » est chargé de sous-entendus.

Je lui lance un regard interrogateur, auquel elle répond par des lèvres pincées. Ça fait maintenant un moment qu'elle me dit que Callum flashe sur moi. Forcément, je ne lui ai pas raconté qu'il avait peut-être embrassé Sierra.

Je prends une douche rapide, je choisis une robe courte à l'imprimé floral et relève mes cheveux. Une fois que nous sommes sortis, Callum se tourne vers moi d'un coup.

– Et si ce Jacob, c'est un psychopathe, et que Sierra est en sale posture ?

Je ris :

– Crois-moi, c'est pas le cas.

– Comment tu peux savoir ?

– Parce que moi aussi, j'ai chatté avec lui. J'ai même vu sa photo.

– Ouais, mais comment tu sais que c'était vraiment lui ?

– Mais elle a appelé hier soir, souviens-toi. Elle l'avait déjà embrassé, elle voulait passer la nuit avec lui. Il lui convenait, ça va sans dire. T'en fais pas pour ça. Elle va bien revenir, à un moment ou à un autre.

– Et imagine que ce soit un violeur ou un tueur en série ?

Callum pose cette question sur le ton de la plaisanterie, mais j'entends bien qu'il a quelques doutes.

– Aux dernières nouvelles, le viol, c'est quand quelqu'un n'est pas consentant... et si c'était un tueur, il pourrait se contenter d'aller tuer des gens direct, dans la rue. Pourquoi prendre la peine d'envoyer des mails, des photos et de laisser des preuves pour se faire retrouver par les flics ?

– Je sais pas, reconnaît Callum, avec encore un rire plus ou moins convaincu.

– À mon avis, tu regardes trop de films, lui dis-je en souriant.

– D'accord... Mais Taylor, t'avoueras, elle le connaît même pas. Elle n'est pas revenue au moment où elle l'avait dit. Tu ne t'inquiètes même pas un tout petit peu ? dit-il, cessant de faire mine de blaguer.

– Désolée, Callum, mais non, je m'inquiète pas. C'est Sierra, quand même ! Elle n'en est pas à son coup d'essai. Elle a fait exactement le même plan à Riley en se barrant avec Matt, et quand elle est revenue, c'était : « Non mais relax, j'étais en train de m'éclater, point barre. »

En regardant Callum, je me trouve dure. S'il s'en fait autant, c'est peut-être qu'en fin de compte, il ressent vraiment un truc pour Sierra. Du coup, je me montre insensible. Peut-être est-ce lui qui a essayé de l'embrasser et elle qui a dit non.

– Pardon.

– Tu n'as pas à t'excuser. Je sais qu'elle l'a déjà fait... c'est juste que j'ai un mauvais feeling.

* * *

Même si je sais que maman m'aurait téléphoné en cas d'appel de Rachel, je suis quand même soulagée, au retour, de ne pas la trouver angoissée, en train d'attendre à la porte, de faire les cent pas ou de crier. Je pousse un gros soupir. Elle ne sait toujours rien. Nous montons, car Callum a le droit de venir dans ma chambre tant que la porte est ouverte. Il s'assied à mon bureau et je me pose en tailleur sur mon lit.

Ma mère monte et descend l'escalier en faisant mine de ne pas vérifier que nous ne faisons rien. Le téléphone fixe sonne, et je grimace, puis chuchote :

– Ça pourrait être le coup de fil qui me pourrit la vie.

– Tu attends que la mère de Sierra se rende compte qu'elle n'est pas là ? s'étonne Callum.

– En gros.

– Pas gagné. Elle va péter un câble. Je vais peut-être rentrer chez moi.

– Merci pour ton courage. T'en fais pas pour moi, j'affronterai le courroux de Rachel toute seule.

– De toute façon, je dois bientôt y aller, j'ai foot à quatorze heures. Tu peux venir... Je veux dire, si t'as rien d'autre à faire et que tu veux passer le temps. C'est dans le coin, je comptais y aller à vélo.

– Ok, je demande à ma mère.

Quand j'entends la voix de maman, je distingue aussitôt que ce n'est pas Rachel au bout du fil. Trop joyeuse.

– Oui, chouette. D'accord, je lui demande, elle viendra peut-être. Ça marche, à tout à l'heure.

Une fois qu'elle a raccroché, je lui demande :

– C'était qui ?

– Narelle, du boulot. Elle nous invite chez elle ce soir, et tu peux venir si tu veux.

– Oh, non, je vais plutôt rester. J'ai des devoirs.

Je suis soulagée, parce que si Rachel doit appeler, ce sera cet après-midi ou ce soir. Pendant son dîner, maman ne répondra pas au téléphone. Il se pourrait que je me tire vivante de cette affaire.

– Je peux aller au stade, regarder le match de Callum ?

– Vous y allez ensemble ?

– Oui, maman.

Je pousse un soupir. Elle s'inquiète tout le temps.

– Vous revenez tout de suite après ?

– Euh... (Je regarde Callum, qui hausse les épaules et acquiesce.) Si tu veux.

– Bon, d'accord, ça devrait aller.

– Maman, c'est juste un match de foot entre équipes locales. N'en fais pas tout un plat. Il y aura sans doute sa mère.

– Oui, elle vient, confirme Callum.

– Bon, très bien, je ne pose plus de questions ! conclut maman, qui nous fait signe de partir. Allez-y, amusez-vous bien.

Je marche avec Callum qui roule tout doucement à côté de moi, pour pouvoir parler.

– Si l'argent n'était pas un problème, tu serais où, en ce moment ?

Callum est un rêveur, et il joue souvent à ce genre de jeu.

– À Paris, avec des tonnes de sacs de différentes boutiques dans les mains. Non, attends ! À Tahiti. J'ai vu une photo l'autre jour dans un magazine, d'une maison sur pilotis dans l'eau... C'était troooop beau.

– Et tu es avec qui ?

– Alors... Sur la plage avec moi, il y a Pink et Ansel Elgort... et Alex Pettyfer. Et toi ?

– J'aime bien l'idée de Tahiti. Je suis sûr que j'ai vu la même photo. Je ne sais pas trop si je veux de ces gens-là, par contre. Plutôt du monde que je connais. Des amis. Riley et Joel... et... Et toi, balbutie-t-il.

Je me tourne vers lui, pour constater qu'il est pivoine. Son manque d'assurance me fait rougir aussi. Il repousse une mèche de cheveux qui lui barre le front, baisse les yeux, et mon estomac fait un soubresaut.

Pendant le match, je reste avec la famille de Callum, comme si je faisais partie de ses supporters. Je suis hyper-consciente de chacun de ses mouvements sur le terrain, et il cherche à me voir aussi, pendant que je l'acclame depuis les gradins. J'essaie d'imaginer ce que ce serait d'être sa petite amie, et cette pensée me coupe le souffle. Après le match, il vient près de moi et une chaleur incroyable émane de lui. Je respire son odeur. Nous n'arrêtons pas de nous regarder et aucun de nous ne baisse les yeux. Il se passe quelque chose. De l'électricité dans l'air.

Pendant qu'il parle, je regarde ses lèvres en me demandant ce que ça ferait de l'embrasser. Ou de toucher ses dents parfaites de ma langue. Je rougis à cette idée... Nous continuons de nous regarder. C'est bizarre et difficile à croire : depuis le temps qu'il me plaît, j'ai vraiment du mal à imaginer qu'il puisse se passer quelque chose. Mais l'énergie continue de se propager en moi. Je ne savais pas que je pouvais me sentir aussi confiante et sûre de moi, mais en même temps timide, nerveuse et mal assurée.

De retour chez moi, nous nous regardons encore beaucoup dans les yeux. Il m'annonce qu'il va rester jusqu'au retour de ma mère. Nous parlons de choses et d'autres, mais les yeux dans les yeux. Nous sommes dans le flirt, dans le défi, mais sans contact autre que visuel. Je n'en peux plus ! Je devrais peut-être l'embrasser, tout simplement... Mais je n'ai pas embrassé cinquante autres mecs. Et si je me plante quelque part ? Non, il faut vraiment que ce soit lui qui fasse le premier pas.

Sur le canapé, nous sommes assis près l'un de l'autre, devant la télé. Je feuillette un magazine et lance :

— Tiens, on n'a qu'à faire ce test : « Comment savoir si tu l'intéresses vraiment ? »

Déjà gênée, j'ai un petit rire de gorge. Je commence à lire :

— Le mec sur qui tu craques en secret... A : écoute tout ce que tu dis. B : passe souvent...

Callum se penche vers moi pour me couper en pleine phrase.

— Tu en as un ? me demande-t-il, la voix grave et intime.

Je sens son souffle sur ma joue.

— Quoi ? dis-je en faisant mine de ne pas avoir compris.

Il lève les yeux au ciel.

— Un mec sur qui tu craques en secret.

Rougissante, je souris malgré moi. Impossible, je peux pas le dire.

— Il doit y avoir quelqu'un, insiste Callum.

Son visage est si près du mien que si je me tourne, nous nous toucherons. À peine capable de respirer, je recule pour le regarder en face. Il s'avance encore et incline un peu la tête, pour que nous soyons prêts à nous embrasser. Je le rejoins à mi-course. Notre premier baiser est léger, rapide, et voyant que j'y réponds, il m'embrasse encore, plus longuement cette fois. Ses lèvres sont douces et chaudes, son menton rugueux là où il touche ma peau. Tous mes sens sont en éveil et j'espère faire tout comme il faut. Sa langue effleure la mienne, puis pénètre dans ma bouche. Je lui passe la main dans les cheveux, puis ramène sa tête vers moi. La sensation de sa langue dans ma bouche est délicieuse, et je veux davantage de lui. Notre baiser se fait passionné, impérieux. Le magazine tombe à terre et peu à peu, nous nous allongeons sur le canapé. On dirait que nous sommes parfaitement coordonnés, et nous nous pressons l'un contre l'autre jusqu'à ce que j'aie mal partout. C'est comme si je voulais toujours être plus près de lui.

Pendant que nous nous embrassons, Callum me caresse l'arête de la mâchoire du bout des doigts, puis descend vers mon cou. Il déplace les doigts vers la clavicule, puis s'arrête à ma gorge. Doucement, il arrive entre mes seins, par-dessus mes vêtements. Est-ce qu'il sent mon cœur battre à tout rompre ? Il pose la main entière sur ma poitrine, et je dois me rappeler de continuer à respirer. C'est à ce moment que la porte d'entrée s'ouvre.

Nous bondissons du canapé, remettons bien en place nos vêtements et nos cheveux en attendant le moment gênant où ma mère va entrer dans la pièce. Les lèvres et le menton qui picotent encore, je suis cramoisie.

Après avoir dit bonsoir à maman, Callum me dit :
– Je vais rentrer chez moi.
Je hoche la tête. Je vois tout de suite que ma mère a compris.

Je raccompagne Callum à la porte. Comme je suis trop gênée pour l'embrasser, il s'attarde quelques secondes, un peu crispé, puis se décide à partir.

Adossée à la porte, je respire profondément. Son odeur imprègne encore l'air. Je ne parviens pas à retenir le sourire sur mes lèvres chaudes et électriques.

Pour éviter les questions de maman, je pars directement dans ma chambre. Je veux repenser à ma journée avec Callum. J'ai envie de me souvenir de chaque moment magnifique passé avec lui.

SIX

L e lendemain matin, je me réveille tôt et pars
courir. Ma foulée paraît plus légère, mon
esprit est alerte et vif. Le ciel est si bleu,
le soleil si brillant. Je passe à côté de chez
Callum et je me demande ce qu'il fait. Maintenant
que nous avons été séparés un temps, je me sens
un peu intimidée. Nous sommes copains depuis
toujours, et je ne voudrais pas que ça change. À repenser à hier soir, je pousse un petit rire qui vient
du plus profond de moi. J'ai envie de voir Callum,
là, tout de suite. Il est sans doute encore au lit.
Je voudrais toucher sa peau chaude, l'embrasser
de nouveau, encore ensommeillé.

J'ai des devoirs et à dix heures, je suis attelée
devant, mais mon esprit vagabonde. Je vérifie mon
téléphone, mais Sierra n'a toujours pas donné de
nouvelles. Je n'aurais pas cru qu'elle me laisserait

en plan aussi longtemps. Je ressens l'inquiétude de Callum, maintenant. Je parie qu'elle sait que je lui en veux et qu'elle attend que je me sois calmée avant d'appeler. Alors, elle aura une histoire toute prête pour expliquer son impossibilité de revenir et de téléphoner. Ça ne sera pas sa faute : rien n'est jamais sa faute.

Malgré tout, j'essaie de l'appeler pour la millième fois. Messagerie, direct.

Ensuite, j'essaie Riley, qui répond tout de suite.

– Salut.

– Hello.

– T'as du nouveau ?

Du nouveau, j'en ai, mais je décide de ne pas lui parler tout de suite de Callum. Je dois le revoir pour savoir ce qui va se passer. D'un coup, je me sens de nouveau nerveuse et timide. Et s'il regrette ? Si vraiment il était venu voir Sierra hier, mais avait voulu m'embrasser moi, pour une raison ou une autre ?

– Non ?

– Non. De toute façon, c'est pas moi qu'elle va appeler, hein ?

– Callum est un peu inquiet.

– Ouais, mais comme tous les autres, il bave devant elle, alors évidemment, il croit que Son Altesse Sierra est incapable de se barrer avec un mec et de mettre ses potes dans la merde au passage.

L'estomac retourné, je sens un poids sur ma poitrine. Même Riley voit que Callum aime bien Sierra. S'il m'a embrassée, c'est juste parce que c'est moi qui étais là. C'est évident. Je suis impressionnée de sentir comme j'ai envie d'être avec lui, comme je voudrais que ce soit réciproque.

— Bref, dis-je en revenant à ma conversation, je crois que moi aussi, je commence à m'inquiéter un peu...

— Bah, toi aussi, tu fais ses quatre volontés, tu la défends toujours, tu crois tout ce qu'elle te raconte... Va savoir pourquoi, parce qu'elle t'a attiré des emmerdes tellement de fois que c'en est pas drôle, et tu la laisses toujours s'en tirer sans rien lui dire. Sérieux, Tay, faut que tu arrêtes.

Au bout d'un moment, nous raccrochons. Complètement découragée, je quitte mon bureau pour rejoindre mon lit. Je m'enfouis sous la couette et m'allonge de côté, face à la fenêtre, d'où je regarde les nuages noirs qui envahissent le ciel. Il va pleuvoir, je pense. Je serre un oreiller contre moi.

Quand mon portable sonne, je me lève d'un bond pour l'attraper sur mon bureau. C'est Callum. Des papillons se mettent à voleter dans mon ventre et j'hésite avant de répondre.

— Allô ?

— Tay, ça va ?

Son ton est intime est suggestif, et je me sens toute fébrile. C'est moi qui plais à Callum...

Par contre, je ne suis pas aussi douée que lui, et je bafouille désespérément avant d'arriver à me reprendre. Nous rions tous les deux et je recommence :

— Désolée, d'un coup, je suis un peu nerveuse avec toi.

La chaleur afflue à mon visage. Je n'arrive pas à croire que j'ai dit ça. On dirait que j'ai dix ans.

– Je peux venir ? demande simplement Callum.

– Oui.

J'ai essayé de rendre ma voix sexy, mais on croirait plutôt que je me retiens de tousser. Soulagée qu'il ne me voie pas, je rougis encore un coup.

– J'arrive dans dix minutes.

Holà. Je m'attache les cheveux et vole à la salle de bains, où j'expédie ma douche en un temps record avant d'essayer de trouver quelque chose de joli à porter. Après quelques essayages rapides, je me décide pour une petite jupe en jean et un t-shirt à manches longues. Mes seins paraissent si énormes que c'est gênant, alors j'enfile une chemise blanche par-dessus, que je laisse déboutonnée. Je lâche mes cheveux, mais impossible de leur régler leur compte en cinq minutes. Je les relève de nouveau et laisse comme ça. Je viens de masquer des boutons sur mon menton avec du maquillage quand maman m'appelle depuis en bas.

– Taylor ! Callum est là.

Je me jette un œil circonspect dans le miroir en pied, prends une grande inspiration et descends. Callum est assis au comptoir de la cuisine, où il boit un jus d'ananas. Maman lui parle de son match de foot d'hier. Quand leur conversation arrive au point mort, elle quitte la pièce, non sans une moue entendue et des sourcils levés. Ce fichu gène reprend ses droits pour me faire rougir, ce qui ne fait que m'embarrasser encore plus.

Je me prends un verre pour m'y verser du jus de fruits aussi, puis je me glisse sur la chaise de Callum. Il m'enlace la taille pour m'attirer tout contre lui et m'embrasse longuement, passionnément. Je n'arrive pas à croire qu'il soit aussi direct. J'adore sa confiance, je me laisse aller. Quand nous nous détachons, nous restons serrés l'un contre l'autre.

– Tu as des nouvelles de Sierra ? me demande-t-il.

La déception s'abat sur moi. Les paroles de Riley retentissent dans ma tête et ma colère contre Sierra flambe de nouveau. Je secoue la tête.

– Tu vas devoir le dire. Ça fait trop long, là.

– Oui, mais elle l'a déjà fait. Je te dis, avec Matt, l'autre fois...

– Elle s'est échappée une nuit. Riley devrait passer à autre chose.

– Mais elle aurait pu avoir de gros problèmes à cause de Sierra.

– D'accord, mais ce n'est pas arrivé. Riley est juste jalouse d'elle, alors elle cherche des trucs à critiquer. Elle rabaisse toujours Sierra. Et ça fait un bail.

– Et si j'appelle sa mère pour lui dire la vérité, et qu'ensuite Sierra revient ? On sera tous dans la merde pour rien du tout.

Callum secoue la tête.

– Il y a quelque chose qui ne va pas.

– Comment tu peux en être aussi sûr ?

– Il n'y a rien de logique, dans cette histoire. Même qu'elle passe la nuit chez lui. Tu ne crois pas que c'est un peu soudain ?

– Eh ben, je vois que tu y as beaucoup réfléchi !
Furieuse, je me mords l'intérieur des joues.

– Euh, bien sûr. À mon avis, il se passe quelque
chose de pas net.

– Et si ce n'est pas le cas ? Si...

– Et si elle a été kidnappée, me coupe Callum,
que c'est toi qui as gardé le secret et donné à un taré
deux jours d'avance ?

– Tu sais quoi ? C'était pas une bonne idée. On
n'aurait jamais dû se mettre ensemble. Tu es toujours
accroché à Sierra, c'est évident.

Je n'arrive pas à croire que j'aie dit ça, mais
maintenant, je dois assumer.

– Quoi ? Mais qu'est-ce que tu racontes ? J'ai jamais
aimé Sierra. Pas de cette façon.

– C'est encore pire, alors. Pourquoi tu es allé
l'embrasser ? Sois honnête avec toi-même. Si Sierra
n'était pas partie avec Jacob, tu serais toujours après
elle.

– J'ai pas embrassé Sierra.

Oh, c'est pas vrai.

Je ne sais pas s'il ment, mais maintenant, je ne
peux plus reculer.

– Taylor, si tu crois ces rumeurs ridicules, alors
tu as raison. C'était une mauvaise idée. (Il cherche
mon regard, mais je le toise, les bras croisés, espérant
qu'il ne voie pas comme j'ai mal. Il secoue la tête,
exaspéré.) Je pensais pas que tu étais comme ça.

Il se détourne et part sans dire au revoir.

Je pensais pas que tu étais comme ça... C'est-à-dire ?
Jalouse et râleuse comme Riley peut l'être, des fois ?

C'est comme ça que je me sens. Quand je me lève, j'entre presque en collision avec ma mère.

Je sursaute. Qu'a-t-elle entendu de notre échange ?

– Où est passé Callum ? s'étonne-t-elle.

– Il a dû partir, on se revoit demain.

En proie à de sombres pensées, je retourne dans ma chambre. Callum a raison. Je suis jalouse de Sierra. Je crève d'envie de lui ressembler, de chanter, voyager et faire du ski comme elle. J'aurais voulu plaire à Jacob, être celle à qui il donne rendez-vous en ville. J'ai accusé Callum d'être accroché à Sierra, mais en fait, c'est moi qui suis accrochée à elle. Je déteste ce tour de mes pensées...

Le téléphone sonne, et j'y réponds sans réfléchir.

– Allô ?

– Taylor, bonjour, tu vas bien ?

C'est Rachel, qui me prend au dépourvu.

– Euh, bien, merci.

– J'allais partir, je voulais juste faire un coucou à Sierra avant ma journée.

– Euh, Sierra ? Elle n'est pas là.

– Comment ça, elle n'est pas là ? Elle n'est pas chez vous pour le week-end ?

– Non, je ne l'ai pas vue depuis le lycée, vendredi après-midi.

– Elle a parlé d'où elle comptait aller ?

– On est tous allés chez Riley manger des pizzas, mais elle n'est pas venue.

– Tu l'as vue quitter le lycée avec quelqu'un ?

– Non, je suis partie avec Riley, Joel et Callum.

– Elle a bien dû te dire ce qu'elle faisait.

– Non, rien. Je croyais qu'elle rentrait chez vous.

– Merde, marmonne Rachel pour elle-même. Merci, Taylor, ajoute-t-elle, la voix un peu tremblante. Attends un peu que je la retrouve.

En raccrochant, j'ai un nuage noir sur moi. Le fait de mentir à Rachel me signale d'un coup comme je suis dans la mouise. Je n'ai pas accompagné Sierra vendredi. Je n'ai pas signalé à Rachel qu'elle n'était pas revenue et je ne lui ai toujours pas dit qu'elle n'avait pas donné signe de vie. Mais ce n'est pas le plus grave. Et s'il était vraiment arrivé quelque chose à Sierra ?

Callum a raison. Si Sierra pouvait être de retour, elle le serait. Elle ne resterait pas aussi longtemps. D'accord, elle avait disparu le temps d'une nuit avec Matt l'autre fois, mais le lendemain matin, elle était rentrée. Là, c'est trop long. Sierra devrait vraiment être revenue.

SEPT

J e fais les cent pas dans ma chambre. Je vérifie mes mails, Facebook, Instagram, Twitter,
puis mes SMS, au cas où, allez savoir pourquoi, je n'aurais pas reçu de notification.
Je m'assure que ma sonnerie est assez forte et que
j'ai du réseau. Je me poste à ma fenêtre et pianote
sur le rebord en scrutant la rue. Rien.

Électrifiée par le stress, je suis incapable de
m'asseoir. Ça fait deux jours. Sierra m'a appelée
vendredi soir en me promettant d'être rentrée
le lendemain matin. Et s'il s'est vraiment passé
quelque chose ? Elle aurait pu être agressée sur le
chemin du retour. Et si elle gît dans les buissons
près d'une gare ? Et si elle a pris des trucs avec
Jacob, qu'elle a fait une overdose, qu'il n'a pas su
gérer et l'a laissée quelque part, où on ne l'a pas
encore découverte ?

Je mets la bride à mon imagination. Toutes ces situations sont quand même super-improbables. J'appelle Riley.

– Dis, je flippe. Il est arrivé quelque chose à Sierra. Je viens de mentir à sa mère.

Sur ces mots, j'éclate en sanglots.

– Quoi ? T'es malade ? Tu étais avec Callum, ou quoi ? Il m'a appelée il y a quelques minutes, parce qu'il veut aller voir la police. Vous devriez vous mettre ensemble, tous les deux. Vous vous éclateriez, à vous faire psychoter l'un l'autre.

– Riley, maintenant, je vais en parler, je voulais te le dire. Je vais tout raconter à ma mère.

Je raccroche avant qu'elle pète un câble – ou moi, d'ailleurs – et je téléphone à Callum.

– Tu as raison, je vais dire à ma mère et à Rachel, pour Sierra. Il y a un truc qui cloche.

Prononcer ces mots, c'est comme confirmer qu'il s'est vraiment passé quelque chose, et les larmes débordent de mes yeux.

– Attends-moi, j'arrive.

Je raccroche, mais ne peux plus reculer l'échéance. Après avoir essuyé mes larmes, je retrouve ma mère, occupée à étendre du linge dehors.

– Maman, faut vraiment que je te parle.

Je lui débite l'histoire sans me laisser arrêter par ses exclamations. Ses yeux se voilent et elle pâlit nettement.

– Il faut aller le dire à Rachel, tout de suite.

Sa voix tremble, et elle ne se met même pas en colère, ce qui me terrifie. Tout d'un coup, la gravité de ce qui se passe atteint un niveau maximal.

On frappe à la porte et mon estomac fait un bond. C'est peut-être elle. Sierra va entrer tranquille, vêtue de son short à la Taylor Wolfe, et dire : « Ben alors, c'est quoi tout ce cinéma ? »

En fait, c'est Callum, qui voit tout de suite que je n'ai pas attendu. Maman est au téléphone avec Rachel et lui répète sans fin ce que je viens de lui raconter. Rachel va m'étriper. Je lui ai menti... Callum vient me prendre dans ses bras.

— Tu as fait ce qu'il fallait, me souffle-t-il.

Maman raccroche et me dit :

— Prends ton ordinateur. On va chez Rachel, elle est en train d'appeler la police. Callum, rentre chez toi. On ne veut pas qu'il y ait d'autres mères qui cherchent leur enfant.

— Elle sait où je suis, et j'ai pris mon téléphone. Je voudrais venir avec vous.

— Désolée, Callum, c'est surtout à Rachel que je pensais. À mon avis, elle ne voudra pas d'autres visiteurs. Rentre, s'il te plaît.

Callum acquiesce, et une fois que nous sommes tous dehors, il se tourne vers moi.

— Quelle que soit l'issue, même si Sierra se pointe dans dix minutes et qu'elle se fait engueuler comme jamais, tu as quand même fait ce qu'il fallait. Ça crée un précédent. Ça lui signalera que maintenant, fini de disparaître sans rien dire.

Je sens des larmes dans mes yeux, mais je les retiens. Je regarde Callum en espérant de tout cœur qu'il ait raison et que Sierra soit dans le quartier, en train de rentrer chez elle.

Pendant le trajet, nous n'échangeons pas un mot. À l'idée de voir Rachel, j'en suis malade.

Elle ouvre avant que nous ayons le temps de frapper.

– Dis-moi tout, m'ordonne-t-elle.

– Vendredi soir, elle est partie retrouver un garçon. Elle a app...

– Depuis le début, Taylor. Où et quand elle l'a rencontré, ce garçon ?

Le désespoir irradie d'elle et je suis terrorisée par son regard insistant. La voix tremblante, je commence :

– Euh... C'était jeudi, la semaine dernière, quand vous êtes rentrées des States. Vous êtes venues chez nous, et Sierra a fait un tour sur Mysterychat. Elle a commencé à parler avec un mec.

– Un mec ? Qui ça ?

– Je sais pas, on parle qu'avec des inconnus, sur ce site. Il s'appelle Jacob Jones.

– Qu'il dit, fait Rachel en se tournant vers maman. Ça pourrait être n'importe qui.

– Je crois que c'est son vrai nom, dis-je.

– Pourquoi ?

– Parce qu'au moment où tu es venue chercher Sierra, elle lui a donné mon mail. Elle ne savait pas si elle pourrait regarder les siens, à cause de son interdiction. Alors du coup, j'ai discuté avec Jacob, moi aussi.

– Tu ne m'en avais pas parlé, intervient maman.

Je baisse les yeux.

– Désolée, poursuit-elle, continue, Taylor. Tu dois tout raconter à Rachel. Ne néglige aucun détail, me presse-t-elle, la voix empreinte de stress.

– Mais quand Jacob m'a contactée, en me prenant pour Sierra, on s'est mis à échanger des mails, et puis on a chatté. Il avait l'air très bien. Il m'a envoyé une photo.

– Montre, me demande Rachel.

Je sors mon portable et une fois que j'ai montré la photo à maman et Rachel, des coups retentissent à la porte. Deux femmes en uniforme de police. Leur présence met un coup de projecteur sur le sérieux de la situation. D'un coup, je me dis que c'est possible qu'il soit arrivé quelque chose de grave à mon amie. Soudain, ça ne me paraît plus si grave d'être dans le collimateur de Rachel. Tout de suite, je ne pense plus qu'à retrouver Sierra.

Les policières se présentent et s'installent sur un siège. Rachel leur explique la situation à toute vitesse, la voix éraillée et les mains tremblantes. Les femmes l'écoutent avec attention puis, après avoir posé des questions pendant une dizaine de minutes, elles nous préviennent qu'elles appellent une unité spéciale pour ce genre d'incident. Pendant qu'on attend, elles continuent à me parler et à m'interroger, avec un calme qui nous apaise toutes. Elles veulent connaître tout le tableau. On toque de nouveau à la porte, et deux autres dames s'introduisent dans la pièce.

– Bonjour, nous sommes de la Brigade crimes sexuels et recherche des mineurs.

Les mots sifflent dans mes oreilles. Ça paraît en dehors de la réalité. Je regarde les nouvelles venues de la tête aux pieds.

Elles sont en civil. L'une a un tailleur jupe avec des talons, et l'autre un pantalon et des ballerines.

Elles s'adressent d'abord à Rachel. Elle leur raconte tout, mais c'est un peu embrouillé. Sur les nerfs, elle se met à pleurer. Je ne supporte pas de la voir. Je baisse les yeux, et de grosses larmes dévalent mes joues.

— Sierra a-t-elle déjà fait quelque chose de ce genre ?

— Non, répond Rachel. Jamais.

— Si, dis-je d'une voix rocailleuse, avant de me racler la gorge. Elle a déjà fait ça.

— Quoi ? Quand ?

Rachel, choquée, est sur la défensive et je la plains.

Je baisse de nouveau les yeux, très mal à l'aise. Maintenant, je vais devoir raconter à la police et à Rachel que Sierra avait filé passer la nuit avec Matt. La voix étranglée, je n'arrive pas à parler. J'essaie plusieurs fois, mais je m'arrête.

— Taylor, je sais que c'est très difficile pour toi, me dit la policière qui porte des talons. Tu as l'impression que tu vas attirer des ennuis à ton amie. Est-ce que tu préférerais nous parler seule ?

— Non, je veux entendre ça, s'il vous plaît, intervient Rachel.

Je préférerais de loin leur raconter sans Rachel à côté, mais je ne veux pas le dire devant elle.

Elles regardent maman.

— Vous êtes la mère de Taylor ?

— Oui.

— Vous voulez bien que nous parlions à Taylor en privé ?

— Bien sûr, si vous pensez que ça peut aider.

– C'est n'importe quoi ! proteste Rachel. C'est de ma fille qu'il est question ! Je veux savoir.

– Au stade où nous en sommes, madame, nous devons obtenir les faits, et aussi vite que possible. (La policière se tourne vers ma mère.) Madame Gray, il nous faudra faire appel à une tierce personne pour qu'elle soit présente pendant que nous parlons à Taylor, au cas où ce qu'elle nous relate devrait être présenté devant un tribunal. Vous êtes d'accord ?

Un tribunal ? La gravité de la situation devient plus énorme à chaque seconde qui passe.

Maman hoche la tête.

– D'accord, souffle-t-elle. (Elle regarde Rachel.) Tu comprends, si ça veut dire qu'on peut avoir toute l'histoire...

Rachel serre la mâchoire, détourne les yeux de maman et les pose sur les miens. Je sais que je ne l'aide pas comme elle le voudrait. Elle est tellement bouleversée que j'en ai mal pour elle.

Nous passons du salon à la salle à manger. Maman reste avec moi jusqu'au moment où la « tierce personne » arrive, puis retourne avec Rachel. La « tierce personne » a la cinquantaine, s'appelle Roger et a un sourire amical et des yeux doux. Tout le temps que je parle aux inspectrices, il ne dit rien. Il se contente de rester du même côté de la table que moi.

– Raconte-nous cette fois où Sierra a fait quelque chose de semblable.

– Elle avait commencé à voir Matt, un garçon qu'elle avait rencontré par des amis d'amis sur Facebook. Il avait dix-huit ans, donc un peu plus vieux que nous. Elle a toujours recherché des copains plus âgés.

Un week-end, elle était chez Riley, et pendant l'une des soirées, elle a commencé à échanger des textos avec Matt. Elle a dit à Riley qu'elle allait le voir et elle lui a demandé de la couvrir.

Mais le truc, c'est qu'elle n'est pas revenue dans la nuit comme elle l'avait dit. Et elle n'a pas appelé Riley, elle lui a pas envoyé de message ni rien. Le lendemain matin, quand Riley s'est réveillée, elle a raconté à sa mère que Sierra dormait encore. À midi, Sierra est enfin rentrée, par la fenêtre de la chambre de Riley, et elle a dormi le reste de la journée. Riley était super-énervée, parce que Sierra aurait quand même pu l'appeler ! Sierra a dit que son téléphone n'avait plus de batterie et qu'elle n'a pas pensé à utiliser celui de Matt.

– Sierra a-t-elle une vie sexuelle active ?

– Oui.

La détective prend ce que je dis en note.

– Tu nous as dit que Sierra n'avait pas le droit d'utiliser Internet. Explique-nous pourquoi.

Je respire un grand coup.

– Elle avait rencontré des garçons sur un site de chat, et ils ont demandé des photos… (Je rougis.) Enfin, des photos, ben, de ses seins. Elle en a envoyé. C'était juste pour rigoler. Elle trouvait ça hyper-drôle. Elle ne comptait pas donner suite du tout, et on ne pouvait pas savoir que c'était elle. C'était juste ses seins, littéralement. Bref, sa mère a trouvé les photos sur son téléphone et elle a crisé.

— Est-ce que Sierra a rencontré ceux à qui elle a envoyé ces photos ?

— Mais non ! C'est ce que je dis. Elle a juste fait ça pour rigoler. Tous les mecs qu'on rencontre sur ces sites demandent des photos de seins, mais ça va jamais plus loin.

— Et avec Jacob Jones ?

— Non, il n'a pas demandé ce genre de photos. Il n'était pas comme ça.

Je leur raconte tout ce que je sais à son sujet : Sierra qui a utilisé l'ordi de Cassy pour chatter avec lui tout le week-end. Je leur montre mes mails et les photos envoyées par Jacob. Ils me questionnent sur mon amitié avec Sierra. Je leur dis tout, nos parents qui étaient amis, l'histoire de la FIV et la mort de papa.

Tout à coup, je me sens nulle. J'ai dressé un portrait pas flatteur du tout de ma copine. J'essaie d'expliquer mon point de vue aux inspectrices :

— J'ai donné une mauvaise image, mais en fait, on ne fait pas grand-chose. Et puis ça ne nous arrive pas souvent de parler avec des inconnus sur Internet.

— Taylor, s'il te plaît, ne t'inquiète pas de ce qu'on peut penser de toi ou de Sierra. Personne ne vous juge, déclare l'une des policières.

— Oui, mais je veux juste que vous sachiez qu'on n'est pas comme ça... (Elles ne me croient pas. Je regarde mes mains et les serre l'une contre l'autre, si fort que les articulations en deviennent blanches.) C'est courant ?

— De disparaître ? Oui, me répond l'une d'elles. Ton cas, ou celui de Sierra, c'est assez courant. Le souci, c'est que je ne vois pas Sierra comme une fugueuse typique. J'aimerais reparler à sa mère.

Nous repartons tous dans le salon, où ma mère et Rachel arrêtent de parler et nous regardent. Maman a les joues humides.

Les inspectrices s'asseyent, une sur chaque canapé. Les policiers en uniforme ne sont plus là.

— Madame, sachant que personne n'a de nouvelles de Sierra depuis vendredi soir, nous allons notifier le Bureau des crimes de gravité maximale, et un inspecteur va être affecté à ce dossier.

La policière poursuit dans son langage officiel détaché : cybercrimes, équipes pour les enquêtes, Brigade des crimes sexuels... J'entends qu'elle parle lentement et fait attention à ses mots, mais ils me passent au-dessus sans que j'imprime.

Rachel regarde la détective, sans expression.

— Madame, vous avez bien dit que votre mari était à l'étranger ?

— Oui, il fait la saison de ski de l'hémisphère Nord. Ça ne se termine pas avant mars ou avril. Dave et notre fille aînée, Cassy, sont restés là-bas pour faire tourner notre entreprise.

La policière pince les lèvres.

— Je vous conseille de prévenir votre mari, pour qu'il revienne en Australie aussi vite que possible.

C'est la première remarque humaine qu'elles aient faite, et la terreur qu'elle crée chez Rachel est palpable. Maman reste le souffle coupé un instant, la main sur le cœur. Là, elle enfouit son visage dans ses mains et s'effondre. À chaque sanglot silencieux, ses épaules remuent. J'ai l'impression que mon cœur est pris dans un étau.

Cette fois, ce n'est pas Sierra qui traînaille. Il n'y a plus de doute, quelque chose ne va pas.

* * *

D'autres inspecteurs arrivent, et même s'ils se présentent, j'oublie rapidement leur nom et leur brigade d'origine. Tout se déroule si vite, et ils se ressemblent tous, en costume noir, cravate noire, visage de marbre. Ils me posent les mêmes questions des dizaines de fois, et je suis tellement fatiguée de leur répondre que je me mets à pleurer. Sans tenir compte de mes larmes, ils insistent. Roger n'intervient jamais. Pas une fois.

Ils me prennent mon ordinateur, qu'ils mettent dans un sac plastique transparent. Un inspecteur inscrit « Pièce à conviction n° 1 » sur une étiquette qu'il colle dessus. Je ne comprends pas pourquoi ils l'emportent ; c'est comme s'ils ne me faisaient pas confiance. Ils prétendent que c'est important pour eux d'établir mes mouvements avant la rencontre avec Jacob. Deux policiers disparaissent dans la chambre de Sierra, dont ils ressortent avec encore des sacs plastique étiquetés. J'aperçois son agenda et son journal intime. Elle serait horrifiée. Ils passent à la chambre de Cassy. Ils forcent la fermeture du bureau pour en extraire l'ordinateur, l'embarquent aussi, puis fouillent toutes ses affaires.

– Taylor, pouvons-nous avoir ton téléphone, s'il te plaît ? Nous devons examiner tes messages et noter les numéros. Il nous faut la liste de tous les amis de Sierra.

Je regarde vers maman, qui me fait signe d'accepter. Je le passe d'une main tremblante à l'inspecteur, qui le connecte aussitôt à un ordinateur pour y transférer la liste de mes contacts et tous mes SMS. J'essaie de retrouver quels messages il peut y avoir. Et quelles photos... Tout est tellement humiliant.

– Ce téléphone a-t-il été utilisé pour communiquer avec Jacob ?

– Non.

Je leur ai dit mille fois que je n'avais pas parlé au téléphone avec lui. Une fois qu'il a terminé, mon téléphone rejoint le lot des objets emportés.

Je suis à court de souffle. J'essaie de respirer, mais sans succès. Mon estomac est complètement fermé. Je me lève et regarde autour de moi. Je cours vers la porte et aussitôt dehors, je vomis dans le jardin. Les spasmes sont si violents que j'ai l'impression que mon estomac va remonter dans ma bouche. Maman me court après. Elle me frotte le dos, retient mes cheveux et me pose les mains sur les épaules pendant que je recommence. Un inspecteur nous suit dehors.

– Je veux la ramener à la maison, lui annonce maman. C'est trop dur pour elle.

– Il va falloir qu'on vienne avec vous. Je suis vraiment désolé, mais nous devons fouiller la chambre de Taylor.

– Pourquoi ? demande maman, tendue.

– Pour chercher des indices. N'importe quoi qui pourrait nous donner une piste, explique-t-il. Nous ne pensons pas que Taylor nous cache quoi que ce soit. Au contraire, elle nous a beaucoup aidés. Mais il est possible qu'on trouve un élément dont elle ne réalise pas l'importance.

– Bien sûr. On fera n'importe quoi pour aider.

C'est tout ce que maman arrive à dire, maintenant.

Un inspecteur propose de nous ramener à la maison dans notre voiture. Roger nous accompagne, et un inspecteur nous suit dans une autre voiture.

Une fois dans ma chambre, je m'assieds sur ma chaise de bureau, sur le seuil, pour voir ce qu'ils font. Maman se met sur le lit, et Roger s'adosse au mur près de la porte.

Je leur donne ma tablette, qui part dans un sac plastique. Les inspecteurs fouillent mes tiroirs où ils trouvent le papier orné du nom de Jacob avec des cœurs et ma signature en tant que Taylor Jones. La chaleur me monte à la nuque, puis au visage. Je ne leur ai pas dit que, moi aussi, j'avais flashé sur Jacob.

Ma mère porte les mains à sa bouche et ferme les yeux. Elle a tout compris. Elle a déduit pourquoi j'ai été sèche avec elle lundi : elle se dit que je me suis disputée avec Sierra à propos de Jacob. Elle sait que je serais allée le rencontrer dès que j'aurais pu s'il me l'avait demandé.

– Maman, je...

Je n'arrive pas à terminer.

Les policiers ont terminé de fouiller ma chambre et ils veulent des détails.

– C'est très important, Taylor. Tu veux nous parler en privé ?

– Non... Je veux que ma mère soit là.

J'éclate en sanglots, et maman vient à côté de moi, poser une main sur mon épaule. Dans un souffle, j'explique :

– Comme je l'ai dit chez Rachel, il m'a contactée. Je savais pas que Sierra parlait avec lui en même temps. Je l'aimais bien... Je croyais qu'il ressentait la même chose. (Je regarde maman.) S'il avait voulu me rencontrer, j'y serais allée.

Maman regarde droit devant elle et me caresse le dos.

– Lundi, j'étais toute contente, dis-je, à ma mère maintenant. Je comptais annoncer à Sierra que je lui avais piqué son mec de Mysterychat. Mais en fait, elle m'a dit la première qu'elle devait le rencontrer vendredi. Je me suis sentie trop bête. Elle voulait que je l'accompagne, mais j'étais trop gênée pour le rencontrer. (Je pleure si fort que j'ai du mal à parler.) J'aurais dû y aller. Mais j'étais tellement furieuse et... et...

Maman se mord la lèvre, la respiration heurtée.

L'inspecteur ne fait pas mine de me réconforter ou de me déculpabiliser. Il informe maman qu'on nous fournira des séances de psychothérapie en temps voulu.

– Y a-t-il autre chose que tu nous caches ?

Je sais qu'ils doivent poser des questions, parce

qu'ils veulent retrouver Sierra. Mais leur façon de faire me met à l'envers. J'y comprends plus rien. Que dire, que garder pour moi ? Est-ce que je dois leur raconter que j'ai embrassé Callum ? C'est plus ou moins lié à Jacob, je suppose... Je me décide à répondre par un signe de tête négatif.

— Il n'y a rien d'autre.

— Où as-tu chatté et pendant combien de temps es-tu restée en ligne avec lui ? C'est très important qu'on sache tout, Taylor. Ça nous donne des indications sur Jacob Jones. Si c'est un prédateur, il est possible qu'il soit en contact avec d'autres jeunes.

Je réponds à leurs questions des tas de fois, pendant un temps infini. Rien n'a changé depuis que je leur ai raconté ce que je savais tout à l'heure. Mon histoire reste la même, à part l'ajout du fait que moi aussi, j'étais tombée dans le panneau. Je commence à me tourmenter : Rachel va savoir que j'ai refusé d'accompagner Sierra, alors qu'elle me l'avait demandé. Est-ce qu'ils vont le lui dire ?

Le téléphone de l'inspecteur sonne, et il ne quitte pas la pièce pour prendre l'appel.

— Non. On ira chez Callum après en avoir fini ici, déclare-t-il. Vous, il faut que vous interrogiez Riley McDonald et son petit ami, Joel. Fouillez leurs chambres et dites-leur bien que c'est important qu'on sache tout, même s'ils n'accordent pas d'importance à certains détails.

La bile monte dans ma gorge en entendant le nom de Callum. Le sang se retire de mon visage. Il va leur parler de nous... moi qui ai déjà une mauvaise image dans cette affaire. Sierra et moi, toutes les deux.

– Tu tiens un journal ?

– Non, plus maintenant, dis-je.

– Quand est-ce que tu en avais un ?

– Après la mort de mon père, dis-je d'une voix faible.

Je n'ai pas envie qu'ils me le prennent. Ce journal, il fait partie de mon âme.

– Je peux le voir, s'il te plaît ? demande-t-il.

Je me faufile sous mon lit et le tire de sa cachette.

– Tu cherches à le cacher à qui ?

– Euh, personne en particulier.

Où veut-il en venir ?

– Qu'est-ce que tu as d'autre de caché dans ta chambre ?

– Rien.

– Taylor, ton amie a disparu. Elle pourrait courir un grave danger. Il y a peut-être quelque chose là-dedans qui constitue un indice, même si tu ne t'en rends pas compte, qui pourrait nous aider à retrouver Sierra. Nous avons besoin de savoir tout ce que tu sais. Même si tu estimes que ce n'est pas important.

Je sais ! ai-je envie de crier. *Vous me l'avez déjà dit cinquante mille fois !*

– Vous allez me le rendre ?

– Oui. Tu récupéreras tout.

Mes pensées les plus profondes, aux moments les plus noirs, sont placées dans un sac plastique, étiquetées, et partent sur la pile.

Une fois que les policiers ont examiné la moindre de mes affaires, ils nous remercient et prennent congé. Nous les suivons en bas et quand la porte se referme, maman et moi nous rendons dans la cuisine. Maman s'assied à table en douceur, comme si elle avait été blessée. Nous n'échangeons aucune parole. Nous en avons fini de parler.

Enfin, maman rompt le silence :

– Ç'aurait pu être toi... (Des larmes coulent sur ses joues.) Je crois que je n'aurais pas survécu...

Je déglutis. Elle était en détresse quand papa est mort, mais elle n'avait jamais parlé de se suicider. Elle disait vouloir être là pour moi, pour me voir grandir. Elle a arrangé sa vie de façon à être complètement impliquée dans la mienne. Je suis une sans-cœur de lui faire vivre ça après ce qu'elle a déjà traversé.

Maman inspire de façon saccadée et poursuit :

– Ça paraît insensible de pleurer pour ça, avec ce que subit Rachel. (Elle se remet à sangloter.) Je me sens horrible d'être soulagée que ce ne soit pas toi.

Je comprends ce qu'elle veut dire.

– On va juste devoir continuer à espérer, prier que Sierra n'ait pas eu de problème.

– Bien sûr qu'elle n'a pas eu de problème, dis-je.

Au son de ma voix, personne ne croirait que je le pense.

– Bien sûr, répète maman. C'est dans les journaux tout le temps. Des jeunes qui fuguent, et qui reviennent dans leur famille plusieurs jours plus tard.

Je hoche la tête.

Assises en silence, nous sommes de nouveau à court de mots. Maman part dans le salon, et comme je ne sais pas quoi faire, je me rends dans ma chambre. C'est comme si elle était sale. Je n'ai ni téléphone, ni ordi, ni tablette. La maison est plongée dans le silence. Je vais en face, dans le lit de maman. Une petite pluie fine ruisselle le long de la fenêtre. Je me détourne et fixe mon regard sur le mur.

HUIT

Le visage décomposé, ma mère raccroche. Elle a les yeux rouges et pivote lentement, comme si tout son corps était raide. Je lui demande :

— Des nouvelles ?

Elle tarde à répondre, puis fait un signe négatif de la tête. Pas de nouvelles, mauvaises nouvelles, nous en sommes conscientes toutes les deux.

— Je pars chez Rachel. Elle est toute seule jusqu'à ce que Dave et Cassy arrivent des États-Unis. Leur avion doit être là en fin de matinée.

— D'accord. Je viens avec toi.

Je veux être présente quand on aura des informations, mais ma mère secoue la tête.

— Rachel a demandé que tu ne viennes pas, aujourd'hui.

Je reçois ces mots comme une gifle, et ma mère enchaîne :

– Elle est très... en colère. Contre tout le monde.

Je n'insiste pas. Je me rassieds sur ma chaise, le regard dans le vague. L'idée de rester là, toute seule, est insoutenable.

– Tu pourras m'appeler ? Quand il y aura du nouveau ?

Ma voix s'étrangle et maman acquiesce.

– Ne sors pas de la maison, m'ordonne-t-elle. Je rentre bientôt te voir.

Elle referme la porte derrière elle.

C'est trop bizarre. On est lundi, je devrais être en cours, mais je n'ai pas eu envie d'y aller. À dix heures, le téléphone fixe sonne et je le regarde un moment, trop effrayée pour répondre. Je décroche avec précaution, comme si c'était une bombe prête à exploser. Une fois le combiné à l'oreille, je ferme les paupières et j'attends.

– Allô ?

En entendant la voix de Callum, je les rouvre d'un coup.

– Je croyais que c'était ma mère.

– Je savais pas si tu serais au bahut, me dit-il. La mienne n'a pas voulu que j'y aille.

– Tu peux venir ? Là, j'attends à côté du téléphone, maman est partie chez Rachel.

– Je vais demander. (J'entends des voix étouffées.) Ok, ma mère veut bien m'amener. Elle m'a interdit de sortir à pied ou à vélo.

Nous raccrochons, puis j'attends ce qui me semble des années. Enfin, on tape à la porte. Je cours ouvrir, pour trouver Callum, mais aussi deux autres personnes. On me fourre un micro sous le nez et les flashs des appareils photo crépitent.

– Êtes-vous inquiète pour Sierra ?

– Taylor, est-il vrai que vous avez attendu deux jours avant de prévenir la police de la disparition de Sierra ?

J'en reste bouche bée. Des journalistes, chez moi ? Comment sont-ils au courant de la disparition de Sierra ? Comment connaissent-ils mon nom ? Et mon adresse ?

Callum s'avance pour leur boucher la vue, puis leur claque la porte au nez.

Le souffle coupé, je n'arrive pas à bouger quand la sonnerie du téléphone retentit. Voyant que je ne compte pas répondre, Callum se précipite.

– Allô, ici Callum. Oui, Josie, un instant. (Il me tend le combiné.) C'est ta mère.

– Taylor, les médias sont là, m'annonce-t-elle.

– Ici aussi, lui dis-je avant d'éclater en sanglots.

– Bon, écoute. J'en ai parlé à l'inspecteur Parkinson, et d'après lui, la police n'a pas encore fait d'annonce aux médias. Ces journalistes sont censés attendre les informations officielles avant de dévoiler une affaire au public. Mais apparemment, il y a des fuites. La police va les empêcher de révéler quoi que ce soit.

– Maman, ils m'ont parlé des deux jours que j'ai mis à alerter tout le monde...

– Ne leur dis rien. Reste à l'intérieur, j'arrive.

Elle raccroche, et je me tourne vers Callum.

– C'est ma faute ? C'est ce qu'ils pensent ?

Callum regarde par la fenêtre de nouveaux reporters qui se joignent aux autres dans l'allée.

– La police est là, remarque-t-il. Tiens, ils leur disent de partir. (Nous nous approchons tous les deux de la vitre pour mieux y voir.) Ouf.

– Comment ça s'est passé avec les inspecteurs ?

En posant cette question, je me demande s'il leur a dit qu'on s'était embrassés.

– Ils ont tout pris.

– Pareil pour moi, dis-je en me détournant de la fenêtre. C'est surréaliste. La police, les médias... Tu as eu Riley ou Joel ?

– Oui, j'ai eu Joel au téléphone. La police lui a tout pris, et à Riley aussi. Elle est furax, et elle les a pourris tout du long. (Il se passe les deux mains sur le visage.) J'arrive pas à y croire.

J'entends une voiture qui s'arrête dans notre allée. Ma mère a fait vite. Ah, ce n'est pas elle, on sonne à la porte.

– Vous y croyez, vous ? commence Riley dès que j'ouvre. (J'adresse un bonjour à sa mère, qui repart aussitôt dans sa voiture.) Je vous jure. Ils ont tout raflé ! Mon téléphone, mon iPad et même l'ordi ! J'ai même pas pu t'appeler, parce que j'ai pas les numéros, rien. Et je vais même pas sur les sites dont ils parlaient ! Tout ce tintouin pour que dalle !

Un poing sur la hanche, Riley arrange grossièrement ses cheveux. J'hallucine qu'elle ne s'inquiète pas pour Sierra, et elle me scrute.

– Oh, me dis pas que toi aussi, tu t'es fait embarquer ? Franchement, Taylor, réfléchis. Là, Sierra, elle est tranquille quelque part en train de se rouler par terre de rire. Elle adore attirer l'attention. À son retour, elle aura le feu des projecteurs sur elle. Elle fait courir tout le monde : les flics, les médias, ses parents, ses potes...

J'espère qu'elle a raison. Je me suis laissée aller à broyer du noir, mais cet optimisme me plaît beaucoup.

– Tu crois qu'elle a fugué ?

– Mais oui, elle a tout organisé pour avoir ses cinq minutes de gloire.

Je commence à envisager les diverses possibilités. Sierra en serait-elle capable ? Des trucs de malade, elle en a fait, mais là, ce serait sa pire folie.

– Je sais pas si elle voudrait inquiéter ses parents, comme ça. Elle nous en aurait parlé.

À moi en tout cas, je pense qu'elle se serait confiée.

– C'est vrai qu'elle cherche toujours à se faire remarquer, approuve Callum. Mais ça t'étonne ? Merde, ses parents ne sont jamais à la maison. C'est peut-être sa seule façon de les obliger à l'écouter. Toute sa vie, elle a été gardée par des gens extérieurs, ses parents étaient toujours occupés. Ah ouais, j'espère que c'est un appel au secours, ou un truc dans ce genre.

Callum regarde par la fenêtre, dans l'attente. Je suis aussitôt jalouse, sentiment bientôt remplacé par la honte.

– C'est trop tordu, soupire Riley, qui s'assied la tête entre les mains. Regardez-nous. Et s'il lui est vraiment arrivé quelque chose ? Putain de merde.

— Arrête, lui dit Callum.

Il se place derrière elle et lui pose les mains sur les épaules. Joel se rapproche d'elle sur le canapé. Au bout d'un moment, Riley prend une longue inspiration, puis se replace de façon plus confortable.

— S'il te plaît, Sierra, rentre tout de suite, chuchote-t-elle.

Je suis terrifiée par ce revirement chez elle, cette inquiétude et ses doutes à propos de sa propre théorie.

Je vois la voiture de ma mère s'engager dans l'allée. Le véhicule cesse sa progression, le volet roulant du garage s'ouvre et maman avance. Mon estomac se met à faire de légers soubresauts, mais tout le monde reste muet. Nous fixons tous la porte par laquelle elle va entrer. Quand elle l'ouvre, il n'y a aucune joie lisible sur son visage. Ses cheveux courts d'ordinaire soignés sont complètement en bataille. Elle a dû y passer les mains des milliers de fois, c'est son réflexe habituel quand elle est stressée. Des cernes marqués soulignent ses yeux rouges. Nous attendons, Callum qui se tord les mains, Riley qui retient son souffle et Joel qui garde les yeux rivés au sol, sans regarder personne.

Quant à moi, mon anxiété me comprime la poitrine maintenant.

— Je n'apporte pas de bonnes nouvelles, nous annonce tout de suite ma mère. (Je me prépare donc aux mauvaises.) Toujours pas de signe de Sierra. La police dit « nourrir de graves inquiétudes » sur son devenir. Désolée de ne pas avoir plus réjouissant.

La panique monte en moi. Je jette des coups d'œil à tout le monde dans la pièce. Personne ne regarde personne. Ils sont tous fixés sur le sol, la lèvre inférieure tremblante, rendus muets par le choc.

– Mais ils n'en savent rien, d'abord ! (J'ai parlé beaucoup trop fort, aussi je baisse d'un ton.) Je veux dire, c'est possible qu'elle ait fugué avec Jacob.

– Mais comment tu peux être aussi cruche ? s'énerve maman. Il ne s'appelle pas Jacob Jones ! Il a donné un faux nom, la police a vérifié. Elle a été dupée par un pédophile, Taylor. Et toi aussi, ajoute-t-elle, la voix tremblante.

– Mais il nous a donné son adresse mail...

Je sais que je parais naïve, mais quand même, je suis au courant qu'on peut retrouver quelqu'un d'après son mail.

– Son adresse ne permet pas de remonter jusqu'à lui.

Elle a les yeux hagards. C'est l'épuisement d'être restée debout toute la nuit, de se dire que ça aurait pu être moi, et puis la culpabilité d'être soulagée qu'il s'agisse de quelqu'un d'autre.

Je me dirige vers elle pour la prendre dans mes bras, et c'est comme si mon contact la faisait craquer. Elle me serre si fort que je peux tout juste respirer, et elle pleure à gros sanglots au creux de mon épaule. Maman et moi, nous ne sommes pas embarrassées de montrer notre peine en public. Nous l'avons fait des tas de fois, déjà. Le chagrin, on s'y connaît. Nous l'avons vécu à la mort de papa... mais cette fois-ci, ce n'est pas pareil. Une pensée noire rôde en moi, tapie juste hors de ma portée. Je ne la saisis pas tout à fait, mais elle est présente, lourde, remplit chaque vide pendant que je me déplace.

Je refoule ce sentiment et une fois que maman pleure moins fort, je me détache d'elle et je lui dis :

– Il faut que tu te reposes, tu as l'air vidée.

Elle essuie ses larmes et regarde les autres.

– Et vous, comment ça va ?

Je vois bien que personne n'a envie de répondre, et un silence gêné s'installe.

Enfin, Callum répond :

– On espère juste qu'elle va revenir en un seul morceau.

Riley n'ajoute rien. Joel, de toute façon, n'est jamais très fort pour parler avec les parents.

Maman regarde Callum, puis les autres. Elle pince les lèvres et se met à se tordre les mains.

– La police a des clichés de face d'après les films de la caméra de surveillance du centre commercial. Il portait une casquette, donc la plupart du temps, ils ont du mal à voir son visage, mais au moins, ils ont une base de travail.

– Ils savent qui c'est ? demande Callum.

– Ils ne voulaient pas donner beaucoup de détails, et j'écoutais leurs conversations entre eux, donc je ne suis pas certaine. Il y a un inspecteur qui parlait des cas de harcèlement sur Internet, qu'ils appellent les cas « évaporation », apparemment parce que... le coupable disparaît sans laisser de traces. Je suis désolée, mais vraiment, à part s'il a dérapé par ailleurs, par exemple en étant filmé à un autre endroit avec les mêmes vêtements, je... je crois que ça va être dur pour la police de le retrouver.

NEUF

Dès que maman monte se coucher, je me tourne vers les autres. Les mains sur le ventre, je fais les cent pas sous les fenêtres. Quelques journalistes sont de retour dans l'allée. Je n'arrive pas à croire qu'ils persistent, alors que les flics leur ont demandé de partir ! Ils ne savent pas que s'ils relatent quelque chose qu'il ne faut pas, ils pourraient entraver l'enquête ?

Je demande au groupe :

– Quelqu'un a accès à un ordi ? Ma mère en a un, mais il est en réparation.

– Quand est-ce que tu récupères le tien ?

Les humeurs de Riley n'arrêtent pas de fluctuer. En ce moment, elle en a après Sierra d'avoir organisé sa disparition pour connaître un quart d'heure de célébrité, et elle est énervée que la police ait tout confisqué.

Dégoûtée, je secoue la tête.

– Tu en as besoin pour quoi ? me demande Joel.

– Je sais pas, trouver des infos, chercher en ligne, voir s'il y a des indices, si Sierra a laissé des messages, chercher Jacob Jones... Je sais pas. Quelque chose. Rester à attendre en se demandant où est Sierra... ça me rend malade.

J'allume la télé pour trouver des infos, mais il n'y a rien. Je les laisse à l'écran. Je pianote sur mon bras, m'assieds, puis me relève pour tourner en rond dans la pièce. Je m'arrête pour regarder par la fenêtre. Je m'attends presque à voir Sierra arriver en sautillant dans l'allée, ses cheveux voletant d'un côté à l'autre, en train de chanter une chanson de Taylor Wolfe. J'ai du mal à croire qu'elle ait vraiment disparu. Ça fait trois jours qu'on n'a pas de nouvelles... est-ce que c'est trop long ? Ou alors, est-ce qu'elle peut revenir d'un moment à l'autre, avec une super-explication sur ce qu'elle a fait, et reprendre sa vie sans encombre ?

J'ai besoin de me dire que ça peut être vrai !

– On n'a qu'à réfléchir aux raisons qui l'ont empêchée de rentrer, dis-je. Je commence. (Je prends une longue inspiration.) Alors, elle est allée voir Jacob Jones vendredi soir, elle est tombée amoureuse direct et elle a décidé qu'elle ne pouvait plus vivre sans lui. Une nuit, puis deux, puis trois, et là, elle est dans le tram pour rentrer chez elle, super-inquiète parce qu'elle sait qu'elle va avoir des ennuis avec tout le monde, mais elle s'en fout parce qu'elle est à fond sur son nouvel amoureux trouvé sur Internet.

– Et je vais la tuer quand elle passera la porte, dit Riley avec un sourire bienveillant.

– Vendredi soir, suggère Callum, elle a appelé pour annoncer qu'elle restait, mais ensuite, elle s'est rendu compte que Jacob Jones était un loser complet. Le voir, ça lui a fait comprendre qu'en fait, elle était dingue de Quinton Othello. Elle l'appelle et ils s'enfuient ensemble.

Je pouffe à l'idée que Sierra soit amoureuse de Quinton Othello.

– Ce bon vieux Quint adorerait cette théorie, approuve Joel. Il la drague tous les jours depuis qu'on est rentrés au lycée.

– Riley, à toi, dis-je.

Elle regarde au plafond et un sourire se forme sur ses lèvres.

– Sur le chemin de chez Jacob Jones, Sierra repère des super-promos sur des chaussures. Elle largue JJ pour faire du shopping. Les soldes sont hallucinants, c'est limite s'ils donnent pas les chaussures. Elle voit une fabuleuse paire de ballerines rouges, et elle n'en a pas de comme ça. Elle met la main dessus au même moment qu'une fashionista acharnée, Lily Baker. Elles tirent toutes les deux dessus, ça se transforme en bagarre générale, et Lily tape sur la tête de Sierra avec une paire à semelles compensées. Sierra est K.-O, et Lily s'en va avec les ballerines. Quand Sierra se réveille, elle est amnésique. En ce moment, elle est à l'hôpital, en train de siroter un remontant au citron et de se demander qui elle est.

Nous rions tous. J'imagine trop Sierra en train de faire tourner le personnel en bourrique.

Nous nous tournons tous vers Joel, qui me regarde d'un air grave.

– Taylor, je comprends ce que tu essaies de faire, mais... la réalité, c'est qu'il s'est passé quelque chose. À mon avis, Sierra est morte.

Les mots résonnent dans mes oreilles. *Sierra est morte.* Personne ne parle. Personne ne bouge.

– C'est ce qu'on pense tous, poursuit-il. On sait tous que si Sierra avait pu revenir, elle l'aurait déjà fait. (Sa voix se brise.) On peut se raconter qu'elle est fantasque, ou que c'est une sale égoïste ou un électron libre, ou n'importe quoi, pour essayer d'expliquer son absence, mais on essaie juste d'éviter la réponse la plus évidente.

Riley pose une main sur le genou de Joel. Il la prend et la serre fort. Un frisson me parcourt les épaules. Je sais que c'est une possibilité, mais je refuse toujours de l'envisager.

Le téléphone sonne, ce qui me fait sursauter.

– Allô ? dis-je d'une voix râpeuse.

– Bonjour, c'est bien Taylor Gray ?

– Oui, je réponds, le cœur battant.

– Ici l'inspecteur Kel Parkinson. Certains de vos objets peuvent vous être restitués. Vous êtes chez vous cet après-midi ?

– Oui. (Impressionnant comme cette simple nouvelle me remonte le moral.) Et les affaires des autres ? Callum, Joel, Riley, ils sont tous ici.

– Oui, je les ai aussi. Je les apporte.

En une demi-heure, l'inspecteur Kel Parkinson est à la porte, et je le fais entrer. C'est lui qui a été affecté au cas de Sierra, et nous avons sa ligne directe au cas où. Il a l'âge de ma mère, à peu près. Grand, il porte bien son costume et sa chemise impeccables. Ses cheveux grisonnants sur les tempes sont coupés net. Tout chez lui est propre et bien en place, hormis ses yeux. On dirait qu'il est resté réveillé toute la nuit, mais derrière la fatigue, on y lit de la compassion, et autre chose. Une réserve, peut-être. Je comprends tout de suite qu'il a quelque chose à nous annoncer, et je suis aussitôt sur les nerfs. Aurait-il des nouvelles de Sierra ?

– Ta mère est là, Taylor ?

– Oui, je vais la réveiller.

Je pensais qu'il me dirait que ce n'est pas la peine, mais il s'abstient, alors j'y vais et maman me dit qu'elle arrive tout de suite.

Une fois revenue, je balbutie :

– Euh, Inspecteur... est-ce qu'on a des nouvelles de Sierra ?

– Ou de Jacob Jones ? demande Callum.

Lentement, il secoue la tête. Les traits tirés, il ajuste sa cravate.

– Appelez-moi Kel, je vous en prie. Je me doute que vous êtes très inquiets, mais à ce stade, je ne peux pas révéler grand-chose. Sierra n'a pas été retrouvée et l'identité de... (il s'interrompt, déglutit et tire encore une fois sur sa cravate)... des suspects éventuels n'a pas été déterminée.

Sa formulation prudente ne me rassure pas, et je me demande s'il pense comme Joel, que Sierra est morte.

Maman vient s'asseoir à côté de Riley et Joel, face à Callum et moi. Kel s'agenouille pour poser un grand carton par terre. Il retire sa veste de costume noire, qu'il laisse sur l'accoudoir, puis pose nos téléphones et ordinateurs sur la table basse. Il pianote sur la surface et déclare :

— Nous avons copié toutes les données de chaque appareil. Joel et Callum, on n'a rien trouvé d'utile sur les vôtres, donc vous pouvez les récupérer. Riley, je te rapporte ton ordinateur, mais on n'en a pas fini avec ton téléphone et ta tablette. Comme tu les as utilisés au moment où Taylor était en ligne avec le suspect, ils nous permettent de corroborer l'heure du contact.

Riley hoche la tête en prenant son ordinateur.

— Taylor, je t'ai rapporté ton journal intime, mais on examine encore ton téléphone, ta tablette et ton ordinateur. Ils vont sans doute être gardés pour le moment, dans l'éventualité où on en aurait besoin comme pièces à conviction plus tard.

Tout ça me donne un peu le vertige. Moi qui croyais retrouver toutes mes affaires...

— Malheureusement, l'homme avec qui Sierra a communiqué utilisait ce qu'on appelle un serveur proxy, qui permet aux prédateurs de se rendre sur les sites sans être localisés, d'attirer des jeunes et de rester invisibles. Même à la police. À moins d'être extrêmement prudent, on peut savoir qui vous êtes et où vous vous trouvez, parce que vous laissez une trace à chaque endroit où vous vous rendez.

Il nous considère tour à tour, puis poursuit :

– À chaque passage en ligne, on peut déterminer votre localisation exacte, à quelques mètres près. (Il s'exprime lentement, en détachant bien chaque mot, avec l'élocution que tant de nos profs utilisent pour faire passer un message.) Oui, c'est précis à ce point. Après son premier contact, il a sans doute suivi Sierra à distance, il a regardé les photos d'elle sur les réseaux sociaux. Il a dû découvrir ses centres d'intérêt, identifier ses sorties et ses voyages. Il lui a sûrement dit qu'il était au même endroit au même moment, avant même qu'elle lui en parle. C'est comme ça qu'un prédateur appâte sa victime. La personne visée va penser qu'il s'agit d'une coïncidence incroyable, que c'est fabuleux d'avoir rencontré quelqu'un d'aussi semblable sur un site de chat. C'est de cette façon que celui qui s'est fait appeler Jacob Jones a dû s'y prendre avec Sierra.

C'est glaçant d'entendre ces explications. Tout est calculé, en fait... Je m'agite dans mon siège en repensant à Sierra qui me racontait que Jacob était aussi aux JO pour regarder Chumpy Pullin lors de son épreuve. Et au concert de Pink. J'ai du mal à accepter cette idée. Si ce que dit l'inspecteur est vrai, Sierra n'avait aucune chance.

La colère s'empare de moi, mais ce n'est pas contre Jacob Jones. C'est contre moi, contre ma

bêtise et mon insouciance. J'aurais dû ravaler ma
fierté et aller au rendez-vous avec Sierra. Si je pouvais changer une chose dans le passé, ce serait ce
choix.

– Taylor.

Je sursaute, et Kel Parkinson continue :

– La photo que tu as reçue de « Jacob Jones »
est un montage de deux autres. L'arrière-plan est
l'image d'un photographe célèbre du sud du pays,
Cabe Osric, prise il y a deux ans.

Avec une exclamation, ma mère se couvre la
bouche d'une main.

– On trouve la vraie sur son site, ou sur Getty
Images.

L'inspecteur nous tend un exemplaire de la photo
du paysage, et un autre de celui que je prenais pour
Jacob Jones.

– La photo a été détourée. Elle a été téléchargée
à partir du compte Instagram d'un tiers, qu'on a interrogé et exclu comme suspect. On voit pourquoi
« Jacob Jones » a choisi cette image : on ne distingue pas vraiment le visage, ça pourrait être
n'importe qui. La deuxième photo qu'il t'a envoyée,
celle des abris à bateaux de Brighton, c'est une autre
de Cabe Osric. Le copyright a été retiré, mais une
fois qu'on regarde de près, c'est facile à voir.

Je me sens pâlir. En fait, jusqu'à maintenant,
je croyais encore que Jacob Jones était vraiment
un lycéen normal. La nausée me prend par vagues.
La bouche sèche, j'essuie mes paumes sur mon
pantalon et garde les yeux à terre. La peur se mêle

au soulagement que ce n'ait pas été moi, et j'en ai l'estomac retourné.

– Excusez-moi.

Je marche jusqu'à être hors de vue, puis je cours à la salle de bains. Je vide le contenu de mon estomac dans les toilettes. Je sens la sueur perler à mon front, et une nouvelle vague me prend. Quand il ne me reste rien à vomir, je me rince la bouche, me brosse les dents, me gargarise avec du bain de bouche avant de retourner au salon.

– Vous voulez quelque chose à boire ? dis-je d'une voix essoufflée.

Maman se lève pour me suivre à la cuisine. Avant de prendre les boissons, elle m'embrasse et me regarde dans les yeux un moment. Elle me connaît trop bien. Elle sait ce que je ressens. Et je vois qu'elle éprouve la même chose.

Nous nous sentons coupables.

J'aurais dû accompagner Sierra. Je suis horrifiée qu'elle ait disparu, mais en même temps, je suis soulagée que ça ne soit pas moi.

C'est ce qui mine maman aussi. Sierra est comme une deuxième fille. Elle se ronge les sangs pour elle... mais en même temps, elle préfère que ce ne soit pas moi. Et ce petit soulagement, elle en est déchirée.

Une fois tout le monde reparti, elle s'effondre sur le canapé.

– Je vais au travail, demain, annonce-t-elle. Pour le lycée, c'est toi qui vois, je ne t'oblige pas. J'ai appelé le proviseur aujourd'hui pour qu'il soit au courant.

– D'accord. Dommage que je n'aie pas mon ordi. Il faudrait que j'avertisse Izzy.

– Ah, tu peux prendre le mien, il est resté dans le coffre de la voiture. Je suis allé le récupérer samedi, mais avec tout ça, j'avais complètement oublié. Je sais que c'est un dinosaure à côté du tien, mais il marche.

Il met des heures à se lancer, émet un gros bourdonnement et a un temps de latence bizarre entre le moment où on tape sur les touches et le moment où les caractères apparaissent, mais il finit par fonctionner.

Mes boîtes débordent de messages. Il y a déjà des histoires qui ont circulé à propos de la disparition, romancées pour la plupart. Une page Facebook « Où est Sierra » a été lancée, et tout le lycée la partage. C'est Izzy qui l'a lancée. Comme tout le monde, elle a peur pour elle. J'ouvre quelques messages. Pour la plupart, ce sont des témoignages de soutien, dont les auteurs espèrent que je vais bien et que Sierra va revenir. Au dernier, c'est une autre histoire :

Tu me rappelles de pas être pote avec toi si jamais je disparais. Deux jours, putain ? Si elle est morte, j'espère bien que tu te suicideras.

Je recule, les yeux rivés sur les mots affichés à l'écran. À ce moment-là, Callum m'appelle.

– Demain, je retourne en cours, m'annonce-t-il. Tu devrais venir aussi.

– Je sais pas si je suis prête. (J'éclate en sanglots.) Toutes les deux minutes, je me remets à pleurer.

– Pas grave. À mon avis, tu ne seras pas la seule. Allez, viens. Si on y va ensemble, ça sera surmontable. Joel et Riley viennent aussi.

– Tu devrais voir les messages que j'ai reçus. On dirait que ces gens-là pensent que j'avais envie qu'elle disparaisse. Ils estiment que c'est ma faute. Il y a des tas de gens qui me détestent...

– On a tous attendu, je te rappelle. Tu n'étais pas la seule à savoir. On aurait tous pu prévenir samedi matin, quand elle n'a pas reparu. Et, en fait, on a tout mis sur tes épaules. On a fait comme si c'était à toi de décider. Je sais pas pourquoi... Taylor, je suis désolé. C'était moi le pire. J'étais pas d'accord pour attendre, mais j'ai laissé passer. Et au moins, dis-toi que tu as fait mieux que Riley et Joel. Avec eux, elle ne serait toujours pas signalée disparue... Allez, Taylor. On affronte le lycée demain, qu'on en finisse.

Facile à dire, pour lui. Quoi qu'il prétende, il a tout de suite voulu signaler l'absence de Sierra. Il a la conscience tranquille, alors que tout le monde m'en veut, c'est évident. Je suis presque trop angoissée pour y retourner. Mais Callum a raison. Il faudra bien que je reprenne les cours un jour.

Après un long silence, je réponds :

– Bon, ok. J'avertis ma mère que j'y retourne demain.

– On passera te chercher. Ma mère ne me laisse toujours pas sortir à vélo.

– D'accord.

Une fois que j'ai raccroché, je reste assise un moment sur le bord du lit, à regarder la fenêtre.

Je repense à la soirée où Sierra a trouvé Jacob Jones sur Mysterychat. Elle avait virevolté dans la pièce. Je me souviens d'avoir souhaité être celle qui avait embrassé Callum à la fête de fin d'année. Je me souviens d'avoir eu envie de porter aussi bien qu'elle le short style Taylor Wolfe.

J'aurais voulu être elle, et maintenant, je suis contente de ne pas l'être.

Je me déteste.

DIX

La mère de Callum nous dépose devant le portail du lycée, et il m'étreint rapidement avant d'entrer. C'est agréable de me sentir de nouveau proche de lui. Ça fait bizarre qu'on se soit embrassés et que, maintenant, on fasse comme si de rien n'était. Ce ne serait pas bien de faire quoi que ce soit en ce moment. Depuis l'autre jour, nous n'avons rien dit. Nos baisers, notre dispute... c'est comme si tout avait été un rêve. Cette affaire Sierra nous dépasse tous. Quelque part, je me demande si c'était notre seule chance et si on ne pourra plus jamais en reparler.

– Prête ?

Je hoche la tête, prends une profonde inspiration et franchis le portail pour me diriger vers la cantine.

Riley et Joel sont déjà là, noyés sous le flot d'élèves qui leur demandent des détails. Izzy est là aussi, et elle m'embrasse, les joues mouillées de larmes.

– Désolée, je suis trop inquiète...

Ses amis la font asseoir. Dépassée, je ne sais pas comment me comporter.

Riley reste de marbre, une vraie reine des glaces. Joel, protecteur, lance :

– Écoutez, on n'en sait pas plus que vous. Laissez les filles respirer.

Il écarte les badauds, mais ils restent assez près pour entendre tout ce qu'on dit entre nous.

Callum rapproche son siège du mien et me cache à la vue de la foule.

– Ça va ?

Il me pose cette question de façon intime, comme si on était un couple. Je sens son parfum. Nos jambes se touchent. Nous sommes proches, mais éloignés en même temps.

J'acquiesce en chuchotant :

– Tout le monde nous dévisage.

Je regarde dans le réfectoire, mais les autres ne détournent pas les yeux. Leur curiosité surpasse leur éducation, et ils se fichent royalement d'être impolis.

– Je ne sais pas si on a bien fait. Comment on va pouvoir s'asseoir en classe et se concentrer sur quelque chose d'autre ? dis-je à Callum.

– Si tu n'y arrives pas, on pourra rentrer. J'appellerai ma mère, et elle viendra nous chercher. Et on réessaiera demain.

D'accord, il suit les conseils de sa mère.

La sonnerie retentit pour annoncer les informations du jour.

– Veuillez vous tous diriger vers la salle de rassemblement.

C'est le proviseur lui-même qui s'est adressé à nous dans le haut-parleur. Un poids s'abat sur mes épaules et me comprime la poitrine. Il va parler de Sierra. Tout le monde le sait et emprunte en silence le couloir. Pas de rires, pas de couinements, juste quelques chuchotements et le bruit des pas sur le lino. C'est surréaliste.

Le proviseur s'avance sur l'estrade. À côté de lui, j'aperçois la psy scolaire et l'inspecteur Parkinson. Les profs prennent place contre le mur de côté. Une fois tout le monde assis, le proviseur prend la parole.

– Bonjour à tous les professeurs et à tous les élèves. (Il s'interrompt un moment et regarde dans la salle.) Je dis « bon » jour, mais jusqu'ici... Comme beaucoup d'entre vous le savent déjà, l'une de nos élèves, Sierra Carson-Mills, est portée disparue. Les faits qui entourent sa disparition sont encore en cours d'élucidation, mais nous savons déjà que Sierra était allée retrouver quelqu'un en ville vendredi, après la fin des cours, et n'est pas revenue depuis. La police enquête sur l'affaire. Voici l'inspecteur Parkinson, qui aimerait vous dire quelques mots, alors je vous remercie de lui accorder toute votre attention.

Kel Parkinson s'avance vers le micro. Comme il est grand, il doit courber le cou de façon un peu maladroite. Le proviseur vient régler la hauteur et il commence :

– Bonjour. Je suis chargé de l'enquête concernant la disparition de votre camarade Sierra. (Il s'éclaircit la voix.) La police nourrit de graves inquiétudes sur son devenir. Nous avons des bandes de la caméra de sécurité qui la montrent devant Hummingbird Cupcakes, au centre commercial City Mall, à dix-sept heures vendredi, en train de parler à un individu. Ensuite, on les voit s'éloigner ensemble, et Sierra n'a pas été revue depuis. Je laisse mon numéro de téléphone à votre proviseur. Si quelqu'un dispose de renseignements au sujet de Sierra, l'homme qu'elle rencontrait ou le lieu où elle se trouve actuellement, nous voudrions lui parler. Même si vous estimez ces informations sans importance, faites-nous-en part malgré tout. Il pourrait s'agir de la pièce manquante qui nous mène à une piste. Je vous remercie.

À l'évidence, ils n'ont aucune idée d'où elle se trouve ni de l'identité réelle de Jacob Jones.

La psy scolaire passe alors au micro. Je n'écoute que de loin, mais elle insiste sur le fait qu'il est important pour nous de parler si nous en ressentons le besoin. Elle nous informe qu'elle passera dans toutes les classes dans la journée et sera disponible à tout moment pour échanger avec nous individuellement.

Je me demande combien d'élèves iront la voir. Après la mort de papa, ma mère m'avait envoyée voir une psy. Ça m'a pris longtemps de penser qu'elle pourrait vraiment m'aider. Au début, j'avais l'impression que ça ne faisait que prolonger la souffrance.

Après le rassemblement, la journée se déroule à peu près comme le matin : des regards braqués sur nous, des questions auxquelles je n'ai pas de réponse.

En rentrant après le lycée, je reçois un coup de fil d'un policier qui me propose un suivi psychologique. Je raccroche après avoir décliné. J'ai mis longtemps à faire confiance à Janelle, ma psy. Si je veux parler à quelqu'un, je n'aurai pas envie d'en consulter un autre.

Maman n'est pas encore de retour du travail, parce qu'elle est passée voir Rachel. Je n'y suis pas allée. Je sais qu'elle ne voudra toujours pas de ma présence, et même si maman ne lui donne pas raison, elle soutiendra Rachel. Même si ça doit être à distance au début. Tout comme Rachel l'a fait pour elle.

Quand ma mère rentre enfin, elle me dit que les relations sont très tendues entre Rachel et Dave, le père de Sierra. Apparemment, en plus de m'en vouloir à moi, Rachel se fait des reproches, ainsi qu'à son mari. Elle a dit à maman qu'ils n'étaient pas assez présents pour savoir ce qui se passe vraiment dans la vie de Sierra. D'après elle, il existait des signes avant-coureurs, mais ils consacraient tellement de temps à créer leur entreprise aux États-Unis qu'ils ne se sont pas assez préoccupés des problèmes de Sierra.

Je ne comprends pas trop de quels « problèmes » ou « signes avant-coureurs » elle parle... L'envoi de la photo de ses seins, peut-être ? Mais j'étais là quand elle l'a fait ! Les mecs ont fait comme tous les autres, Sierra a rigolé et a dit : « Allez, ils vont se rincer l'œil. » Elle a mis le téléphone dans son top et a envoyé la photo sans réfléchir plus longtemps. On a rigolé toutes les deux. Avec le recul, ça paraît bête, mais sur le moment, c'était juste drôle. On s'est déconnectées juste après, et on n'a plus entendu parler d'eux.

Je pense que Rachel recherche quelque chose qui n'existe pas. Elle voudrait une réponse, ou une explication, mais il n'y en a pas.

* * *

J'ai emprunté un ordi portable du lycée, du coup je n'ai plus à utiliser la vieille machine de maman. Après dîner, je l'emporte dans le salon et je m'assieds sur le canapé. Je me connecte à mes mails pour aller regarder les deux photos envoyées par Jacob Jones. Je les examine tour à tour. Elles sont vraiment bien faites. Et il a joué superfin avec le timing de la deuxième. Je me demande quelles photos il a envoyées à Sierra. Je me rends sur le site de Cabe Osric et détaille chaque photo. Tant de lieux en Australie. Des villes, des champs, des paysages. Des plages superbes, des couchers de soleil à tomber, des ciels d'orage. Des symboles d'Australie, des drapeaux, des visages connus.

Je pose l'ordi sur la table basse et regarde le plafond. Je pense à ce que nous a fait Jacob Jones, et je me sens violée. Mais je n'ai pas le droit. Pas alors que je suis sur le canapé du salon, tranquille. La douleur se répand en moi, impitoyable.

Je me retourne vers l'ordinateur.
Jacob Jones nous a trouvées en ligne.
Peut-être que, moi aussi, je peux le retrouver.

ONZE

Mercredi, je suis le mouvement au lycée. Je reste seule et, en rentrant, je passe la soirée à fouiller les sites de chat. Jeudi, je reste éveillée toute la nuit à lire les conversations des gens, à la recherche de Jacob Jones. C'est complètement vain, et à quatre heures et demie du matin, je pose la tête à côté du clavier et je m'endors comme ça.

Vendredi, je reste à la maison et j'appelle à l'hôpital en milieu de matinée pour prévenir ma mère. En fait, on me dit qu'elle a déjà quitté le boulot pour la journée. À dix heures du matin ? Elle ressent peut-être la même oppression que moi. Ça fait trop longtemps. Depuis presque une semaine, le téléphone de Sierra n'a pas été utilisé, son compte en banque n'a pas été touchés per-sonne ne l'a vue... La police a fini par faire une annonce aux médias, et je l'ai regardée hier soir à la télé, mais les détails étaient succincts. En gros, ils ont donné son nom, son âge et ont annoncé qu'elle avait disparu. Sur la photo, on voit Sierra en uniforme scolaire, les cheveux attachés et sans maquillage. J'aurais cru qu'ils en montreraient une qui ressemble plus à elle le jour de sa disparition, rendue beaucoup plus âgée par le fard.

Hier, Callum a séché les cours, et ce matin, il m'a prévenue par texto qu'il restait encore chez lui aujourd'hui. À l'heure du déjeuner, sa mère l'amène ici et repart sans entrer.

– J'espère que ça t'embête pas que je vienne, me dit Callum. Je... j'avais pas envie de rester chez moi sans personne.

Un moment de silence gêné s'écoule. Est-ce qu'il me dit ça pour éviter que je me fasse des idées ? Je ne lui pose pas la question. Ce n'est pas le bon timing entre nous, mais je suis quand même contente qu'il soit là. Moi non plus, je n'ai pas envie de rester seule.

Callum, silencieux, s'agite sans cesse et je me demande si lui aussi se sent étouffé par un sentiment de fatalité. Je n'ose pas en parler, comme si c'est ça qui allait apporter de mauvaises nouvelles. Il parcourt vite fait les magazines de voyage de ma mère et zappe à la télé, mais rien ne retient son attention.

Comme maman n'est toujours pas rentrée, je l'appelle sur son portable.

– Je rentre maintenant, m'annonce-t-elle.

– Pourquoi ? Tout va bien ?

– Je te dirai à mon retour.

Quelques minutes plus tard, elle revient, l'expression abattue. Elle s'assied à la table, puis se relève. Elle marche le long des vitres en se tordant les mains.

– Maman, qu'est-ce qu'il y a ?

Je sens la tension dans mes épaules en la regardant. En général, elle dit tout de suite ce qui la tracasse. Enfin, elle s'arrête pour me faire face.

– On a retrouvé un corps... près de Ballarat, commence-t-elle d'une voix étrangement creuse. Un garde-chasse a découvert des vêtements à moitié enfouis près d'une plantation de pins. Il a trouvé ça louche et a appelé la police. Ils ont déterré un cadavre.

– Ballarat ? C'est à deux heures d'ici. Quels vêtements ?

– Rachel et Dave sont allés sur place pour savoir si c'est Sierra.

Je répète :

– Quels vêtements ?

Maman déglutit avec peine avant de répondre :

– Un haut bleu.

Je suis glacée jusqu'à la moelle. Je n'arrive pas à bouger ni à respirer. C'est comme si je venais de me faire aplatir par un engin de chantier. Complètement oppressée, je ne sens rien d'autre que la douleur dans ma poitrine. Toute mon énergie se concentre à cet endroit. Je m'oblige à respirer de nouveau et je m'imagine me regonfler pour me ramener à l'instant présent.

Maman a les yeux sur moi. Callum est penché en avant, les coudes sur les genoux, le visage entre ses mains. Il est dans son propre monde de souffrance.

– Et maintenant, qu'est-ce qu'on fait ? dis-je dans un souffle.

J'ai la gorge si serrée que j'en ai mal. Je toussote.

– On attend, me répond maman.

Elle s'enfonce dans le canapé, luttant contre les larmes. Elle ferme les yeux et respire profondément.

Nous restons en place pendant ce qui semble des heures, à attendre la sonnerie du téléphone. Les yeux clos, je compte mes respirations. Le fait de me concentrer sur les chiffres estompe la douleur. Je me rends compte que j'ai commencé mon deuil en me levant ce matin. Pendant la nuit, quand je cherchais Jacob, j'ai eu un déclic et j'ai perdu espoir. J'avais compris.

Quand le téléphone sonne, il nous surprend tous. Je me rassieds d'un bond, le cœur battant, et regarde ma mère. Elle se lève du canapé et marche d'un pas raide vers le combiné, qu'elle porte fermement à son oreille.

Après une pause, elle dit d'une voix à peine audible :

– Oui, c'est moi.

C'est bien l'appel qu'on attendait...

Je me lève pour me placer derrière ma mère.

– Merci de votre appel.

Elle raccroche et se tourne vers moi. Le visage déformé par la douleur, elle explique d'une voix aiguë :

– Il l'a étranglée.

Je prends maman dans mes bras et nous éclatons en sanglots.

DOUZE

Callum est toujours sur le canapé, les yeux rivés au mur. Quand nous revenons au salon, il se lève.

– Je rentre chez moi, annonce-t-il en se dirigeant vers la porte.

Je ne réponds rien. Moi aussi, j'ai besoin d'être seule.

– Tu veux que je te reconduise ? lance maman quand il a déjà parcouru la moitié de l'allée.

Il se retourne, les yeux à terre.

– Non merci.

Et il est parti.

Maman et moi ne trouvons pas les mots. Je vais dans ma chambre, où je m'effondre sur le lit. Le chagrin me vient par grosses vagues. C'est une chose d'avoir un mauvais pressentiment le matin, mais le fait de ne rien savoir permettait encore un semblant d'espoir. Je pensais que l'ignorance, les questions, l'attente, c'était là pire chose possible. En fait, je me trompais. La certitude, c'est bien pire. La violence et l'inéluctabilité se plantent dans mon cœur comme une hache.

Sierra est morte.

Elle, si belle.

Étranglée.

L'image s'impose à mon esprit, même si j'essaie de l'arrêter. Elle, tout à son flirt, inconsciente du danger, qui se remet à lui si volontairement. Et puis, le moment où elle se rend compte qu'il n'est pas normal. L'a-t-il blessée ? Torturée ? Ont-ils couché ensemble avant ? Est-ce aussi ça qu'il recherchait ? Je la visualise en train de lutter, de tousser, de porter les mains à son cou, d'essayer d'atteindre son assaillant... Puis la vie qui s'échappe d'elle, ses membres qui s'amollissent.

Je ferme les yeux très fort en m'efforçant de penser à autre chose, mais rien ne vient. L'image de ses derniers moments refuse de me quitter.

Je me repasse des souvenirs de Sierra pour me focaliser sur autre chose. Je me souviens de son arrivée à l'église pour l'enterrement de papa, en jolie robe bleu marine et socquettes blanches, les cheveux séparés en deux couettes. Déjà assise, ma famille était regroupée, chacun étant essentiel à la survie du groupe. Sierra a lâché la main de Rachel pour venir nous rejoindre. Elle n'a pas parlé, a simplement regardé les adultes de ses grands yeux, pour qu'ils la laissent passer. Elle s'est glissée entre le banc de devant et leurs jambes, s'est serrée contre moi et m'a pris la main. Elle est restée comme ça pendant toute la cérémonie, et ne l'a pas lâchée non plus au cimetière.

Et en CM2, quand Chantelle Romeo, qui avait un an de plus que nous, m'a piqué un élastique et l'a mis dans ses cheveux, puis est allée rejoindre ses copines avec un rire méchant. Sierra m'a retrouvée en train de pleurer, une couette d'un côté de la tête et les cheveux tombant de l'autre. Quand je lui ai raconté ce qui s'était passé, elle a couru vers Chantelle et l'a attrapée par la queue-de-cheval qu'elle s'était faite. Chantelle s'est retournée, mais Sierra ne lâchait pas.

– Rends l'élastique de Taylor, a dit Sierra, les dents serrées.

– Lâche-moi ! a piaillé Chantelle. Aidez-moi !

Ses copines étaient tellement surprises qu'elles n'ont fait que reculer et regarder le spectacle. Chantelle s'est mise à tourner sur elle-même en agitant les bras, pour essayer d'attraper Sierra, mais mon amie a tenu bon et a tourné avec elle, jusqu'au moment où Chantelle, le cou tordu, a dû regarder en l'air.

– C'est bon ! Prends-le et dégage, petite conne ! a crié Chantelle.

Sierra est revenue, s'est assise avec moi et m'a refait ma couette en faisant bien tenir l'élastique. Ce jour-là, qu'est-ce que j'étais fière d'être son amie : elle n'était pas bien grande, mais elle avait un sacré répondant.

Et puis à treize ans, quand elle a couché avec un débile de deux ans plus âgé, qui l'a ensuite raconté à tout le monde. Il se la pétait avec ses copains, qui criaient à Sierra de venir les sucer.

« – Mais il avait une toute petite bite, s'était plainte Sierra d'une voix de petite fille, en montrant une mesure ridicule de ses doigts. Qu'est-ce que j'ai à y gagner ?

Les mecs s'étaient mis à rire et s'étaient retournés vers leur pote. On voyait qu'ils étaient intimidés par Sierra et n'avaient pas envie qu'elle dise la même chose d'eux.

– Vos gueules ! avait crié le débile.

Sierra avait ri, les avait regardés droit dans les yeux et avait agité son petit doigt vers lui.

– Au revoir ! avait-elle dit de sa petite voix de fée Clochette. »

Ç'aurait été moi, je serais morte de honte dix fois et j'aurais sans doute changé d'établissement.

Il y a deux ans, quand j'étais en vacances à la plage avec sa famille, le temps était froid et pluvieux, mais Sierra avait insisté pour qu'on aille à l'eau. Le vent était fort. Sierra a crié en entrant dans l'eau glacée, et sa voix a été emportée. J'ai penché la tête en arrière et j'ai crié aussi. Un petit bruit m'a échappé et s'est perdu dans le vent. Sierra a recommencé. Son cri était grave, guttural, et j'ai ri si fort que j'étais pas loin de me faire pipi dessus. Ensuite, j'ai renversé la tête et rugi aussi fort que je pouvais. C'était libérateur ! Sierra est tombée sur le sable avec des rires hystériques. Et puis elle s'est redressée d'un bond, elle a levé les bras comme si elle était un gros animal genre grizzly et a couru à l'eau en criant. Une fois immergée jusqu'à la taille, elle s'est retournée et a crié en sortant aussi. Son énergie était communicative. On a beuglé en entrant dans les vagues et en en sortant, en inventant des manières de courir ridicules et en riant d'être aussi folles. Nous étions comme les monstres que nous faisions semblant d'être à l'âge de cinq ans. Trempées, pleines de sables et échevelées, les joues qui faisaient mal à force de rire et la voix cassée. Libres et heureuses.

Je n'imagine pas me laisser aller ainsi avec quelqu'un d'autre, être aussi proche de quelqu'un que de Sierra. Plus jamais.

Ce n'est pas le chagrin que j'ai ressenti à la mort de papa. Il n'a pas été assassiné, lui. Il a été malade, et à la fin, il était quasi méconnaissable. Il s'est battu avec courage pendant si longtemps, a remporté des combats perdus d'avance, et quand il a fini par partir, nous avions eu le temps de nous y préparer. Nous avons presque été soulagées, parce que ça signifiait la fin de sa souffrance. La soudaineté et la futilité de la mort de Sierra sont insondables. Incompréhensibles. Ça me met en rage. Jamais je n'accepterai ce qui lui est arrivé.

TREIZE

Dans les deux semaines qui s'écoulent entre la découverte du corps par la police et les funérailles de Sierra, tout n'est que vagues insoutenables de chagrin, succédant à des périodes d'incrédulité ou d'apathie. Maman et moi nous déplaçons d'une pièce à l'autre, malheureuses et incapables de rester en place. Des tasses de thé à moitié bues et des assiettes laissées avec de la nourriture à peine grignotée traînent sur les bureaux, les tables basses et par terre, à côté du canapé. Le ménage n'a aucune importance. Supporter chaque minute de chaque heure qui passe, c'est ma seule considération.

Je vais voir Janelle, qui me détaille le processus du deuil. Elle me l'avait déjà expliqué avant, mais cette fois, elle insiste sur la culpabilité du survivant. Elle m'enjoint de ne pas craindre la douleur extrême, car je dois m'autoriser à ressentir les choses, si horribles soient-elles.

Ce que je ressens, c'est une tornade qui me déchire. Une tristesse dévastatrice, la colère, la culpabilité et l'anxiété alternent avec quelques périodes de calme, et parfois rien. Toujours, l'épuisement est présent.

Maman et moi nous habillons pour les funérailles. Je choisis une tunique noire que Sierra adorait. Maman porte un tailleur noir. Pendant quelques minutes dans la voiture, nous échangeons des banalités sans importance, mais bientôt, le silence se fait : nous redoutons toutes les deux l'heure qui va s'écouler.

La cérémonie se déroule dans une grande salle de sport. D'après notre proviseur, d'autres lycées souhaiteront peut-être s'impliquer pour montrer leur soutien. Le lieu a donc été choisi pour sa taille. La famille de Sierra n'est pas croyante, mais ça fait quand même un peu bizarre d'organiser cette cérémonie ici.

Je me dirige avec maman vers l'avant de la salle. Nous sommes en avance et pour l'instant, seule la famille de Sierra est présente. Nous nous asseyons quelques rangées derrière eux. Un grand écran montre une photo d'elle. Ses cheveux lisses et brillants lui descendent au-dessous des épaules, et elle regarde droit vers l'objectif en riant, la tête légèrement inclinée. Je ne connaissais pas ce cliché. Elle est très belle dessus. Son visage parfait est capturé dans un pur moment de bonheur.

Sur un présentoir argenté repose un cercueil blanc parsemé de roses. Elle est juste là, dans cette boîte. Je la regarde sans pouvoir en détacher les yeux. J'ai envie d'ouvrir le cercueil pour vérifier que c'est bien elle, qu'il n'y a pas eu d'erreur. Et si c'est elle, je veux la toucher une dernière fois, lui dire que je l'aime et lui demander pardon. Maman me presse la main, ce qui me fait sursauter ; des larmes jaillissent de mes yeux.

La salle se remplit au fur et à mesure. Les Carson-Mills n'ont pas bougé depuis notre arrivée. Ils sont immobiles, dos aux arrivants. Dos à moi. Ils n'accueillent personne et les autres ne les approchent pas. C'est tellement douloureux de voir leur chagrin, de connaître leur perte... et de me sentir exclue ; j'aurais voulu faire un discours au nom des amis de Sierra, mais personne ne m'a sollicitée. M. Williams, le proviseur, est le seul du lycée à parler. Je cherche du regard Callum et Riley, et les aperçois avec Joel, vers le fond de la salle. Je ne leur ai pas beaucoup parlé depuis la découverte du corps. J'ai ressenti le besoin d'être seule.

Tout a changé et je ne peux pas imaginer que nos relations puissent être rétablies un jour.

Maintenant, la salle est vraiment pleine et la cérémonie commence enfin. La transpiration ruisselle le long de mon dos, et ça doit se voir à travers ma robe. Les discours ne sont pas une ode à la vie de Sierra. Ce sont des paroles amères qui sont prononcées. Personne ne prétend qu'au moins, elle ne souffre plus, ou qu'elle a vécu une longue vie heureuse et bien remplie. Sa mort a été brutale et incompréhensible. Ceux qui prennent le micro ont des mots scandalisés, incrédules. Indignés, durs et dérangeants.

Lorsque les discours se terminent, il est temps de transporter le cercueil. Je ne connais pas les six hommes qui s'en chargent. Rachel, Dave et Cassy vont mener la marche derrière, et c'est la première fois de la journée que je vois leur visage. Rachel et Cassy émettent de petits gémissements réguliers. Des larmes coulent le long des joues de David. Je cherche le regard de Rachel, mais elle ne fait pas mine de me remarquer en passant à côté de nous. Les voir ainsi transforme la salle en un concert de pleurs bruyants.

Maman et moi nous accrochons l'une à l'autre en suivant la foule. À la porte, nous sommes accueillis par une marée d'uniformes scolaires. Des milliers. Notre lycée, celui du bout de la route, d'autres uniformes dont celui de Windrige, où Jacob Jones prétendait être scolarisé. Les élèves forment deux rangées, se tenant par les coudes, tout autour de l'ovale du terrain de cricket, en un immense garde d'honneur. Au centre, d'autres élèves et des adultes, qui portent des pancartes proclamant « T'approche pas de nos enfants », « Protégeons nos enfants », « Rends leur liberté à nos enfants ». Des messages à l'assassin de Sierra. J'espère que ça passera aux infos et qu'il regardera. Qu'il comprenne un peu ce qu'il a arraché au monde.

Le corbillard effectue un tour lent dans la garde d'honneur, et la famille de Sierra suit dans une voiture noire. Le silence de la foule est impressionnant. Les voitures reviennent au portail, effectuent une petite pause après l'avoir franchi. Je me penche pour apercevoir une dernière fois le cercueil de Sierra. La douleur m'oppresse la poitrine, j'ai envie de hurler. Je cours vers la voiture pour poser la main sur une vitre. La voiture s'arrête, mais maman m'entraîne en arrière.

– Non, non, non...

Je hurle, encore et encore. Je me prends la tête entre les mains et me balance d'avant en arrière tout en voyant le véhicule s'éloigner et emporter ma meilleure amie, pour toujours.

QUATORZE

Maman reste avec moi dans la voiture pendant une demi-heure, le temps que je me reprenne. Lorsque je m'arrête de pleurer, j'appuie la tête contre la vitre fraîche. Je dis à ma mère ne pas être de taille à supporter la veillée funèbre, mais en vérité, je sais que je n'y serai pas la bienvenue. Le simple fait de me voir ravivera la souffrance de Rachel.

Nous rentrons directement à la maison. J'ai pleuré tout mon soûl et maintenant que je suis loin de tout le monde, je me sens plus calme.

Je regarde les photos du compte Instagram de Sierra, pour en imprimer certaines. Seule, ou avec d'autres. Je les découpe pour les coller dans un album souvenir. Je note ses expressions fétiches, ce qui la faisait rire, ce qui l'énervait. Maman vient à ma porte.

– Qu'est-ce que tu fais ?

– J'avais envie de faire un truc pour Sierra, dis-je en lui montrant quelques photos. Et pour moi, aussi. Je veux fabriquer quelque chose à sa mémoire. Un album souvenir, je me disais...

– Ça lui plairait, approuve ma mère.

Elle repart, et j'entends la douche. Pauvre maman, elle n'en peut plus. J'examine mon travail en me répétant ses paroles : « Ça lui plairait. » C'est faux. Sierra serait touchée, mais pas impressionnée pour deux sous. Les photos sont imprimées sur du papier A4 normal, mon écriture est un gribouillis pas spécialement joli.

Sierra préférerait quelque chose de plus professionnel, plus glamour, plus chic.

Et elle voudrait que tout le monde le voie.

Je retombe sur mon lit et ferme les paupières. Je revois ses yeux pétillants, j'entends son rire, je sens son énergie... Je ne sais pas si je peux capturer tout ce qui la caractérise. Envahie de tristesse, je me laisse emporter par mes émotions. Comment a-t-il pu ? Comment a-t-il osé lui prendre ainsi la vie ? Je dois tout ressentir, m'autoriser à la regretter au point d'en avoir mal. Elle occupe mon esprit à longueur de temps, tous les jours depuis le vendredi où je l'ai vue pour la dernière fois. Je pense à elle en vie, et puis à elle qui gît dans cette tombe étroite, nue, à l'abandon.

La fureur se répand dans mes veines, imprègne tout mon corps et mon esprit. L'amertume me monte à la gorge en pensant à l'assassin de Sierra.

Je le hais. De nous avoir grugées, manipulées, pour qu'on croie sans danger de le rencontrer. On ne faisait rien d'autre que tout le monde. Plein de gens se rencontrent en ligne... mais le tueur de Sierra ne prenait pas de risques, lui. Il m'a bien eue, avec son anonymat... J'étais naïve, complètement ignorante... Entre sa photo, celle des abris pour bateaux... Je n'ai jamais douté de lui. Combien de filles sont sur Internet en ce moment même, en train de prendre des risques dont elles ne sont pas du tout conscientes ?

J'écris sur un morceau de papier : « Vous surfez anonyme ou vous prenez des risques ? »

Comment l'inspecteur avait appelé ça, déjà, ces outils pour se rendre indétectable ? Il y avait un x dedans... J'essaie avec les lettres de l'alphabet dans l'ordre, et je retrouve :

Proxy.

Les serveurs proxy.

Je tape la requête dans mon moteur de recherche, et des flots d'informations apparaissent à l'écran. Je lis quelques pages, et en une demi-heure, je dispose d'un faux nom et d'un serveur proxy qui me localise au Sri Lanka. J'ai simplement eu à choisir un drapeau. Rien de plus compliqué. Et je suis libre, indétectable sur le net.

De grosses larmes coulent sur mes joues et la douleur dans mon estomac se précise.

Je ne savais rien de tout ça.

Sierra non plus.

On était ignorantes.

Et il l'a tuée, puis s'est volatilisé, parce que c'était possible.

J'utilise mon nouveau proxy pour fouiller dans les sites de chat, interrompre les discussions, laisser des messages d'insultes à ceux qui essaient d'attirer des filles.

Je parcours plusieurs écrans et repère un mec dans plusieurs chatrooms, qui parle à plusieurs filles en même temps. Je l'interromps :

Je te surveille.

? répond-il.

La manipulation psychologique, tu pratiques beaucoup ?

Je capte rien à ce que tu racontes.

Je te retrouverai, salopard de violeur assassin.

Je me déconnecte, me détache du clavier et fonds en larmes, repliée sur moi-même.

Tout à coup, ma mère est à côté de moi. Elle me prend contre elle, j'enfouis le visage au creux de son épaule et je pleure. Je lui raconte, entre deux sanglots, ce que je viens de faire en ligne et comme il est facile d'être anonyme. Je lui parle des serveurs proxy.

— Tu crois que c'est ce que Sierra voudrait que tu fasses ?

— Non.

Maman me caresse les cheveux pendant que je pleure sans pouvoir m'arrêter.

— Elle avait horreur de l'hostilité. (J'ai envie de casser mon bureau, ou une fenêtre, ou la lampe...) C'est juste que je peux rien faire...

La fureur, le désespoir et la haine : voilà ce qui me ronge de l'intérieur. Je veux que la douleur s'en aille. Je veux que ce mec meure et que Sierra revienne.

– Que voudrait Sierra pour toi, maintenant ? me demande encore maman.

Je hausse les épaules. Je n'ai réfléchi qu'à ce que Sierra voudrait pour elle si elle était là. Vivante. Mais elle ne l'est pas.

– Je vais au lit, m'informe maman. Tu veux dormir avec moi ?

– Je viendrai peut-être tout à l'heure.

– Ça va aller ?

– Oui, c'est juste dur...

De nouvelles larmes sillonnent mes joues.

– Tu veux que je reste avec toi ?

– Non, il faut que tu dormes. T'es épuisée.

Je cherche Taylor Wolfe sur le net. Un lien vers son site apparaît, et je clique dessus. Une photo de mon homonyme, qui regarde à travers sa frange, un sourire triste sur le visage. Elle porte un haut blanc bordé de rouge, et je rigole, parce que Sierra avait le même.

Cette photo fait partie de sa promo pour le clip de sa chanson « Bad from Day One ». J'appuie sur le bouton de lecture. Taylor Wolfe est seule, allongée dans une clairière, au milieu d'une forêt de pins. J'en ai le frisson. Elle est vêtue d'un jean skinny et d'un T-shirt blanc, et derrière elle, on voit un loup noir qui hurle à la lune. Elle a les cheveux plus sombres que d'habitude, presque marron, et ils paraissent sales et emmêlés. Comme ceux de Sierra devaient être au moment où la police l'a retrouvée.

La chanteuse se lève et regarde autour d'elle. Elle a l'air perdue, rejetée, triste. La première chose qu'on entend en plus du hurlement du loup, c'est une voix parlée, pendant que Taylor Wolfe regarde autour d'elle. Une musique flippante se lance en fond.

Tout a dégénéré tellement vite. Je n'étais pas prête, puis d'un coup il a été trop tard, et je ne pouvais plus rien arrêter.

On croirait que c'est Sierra qui parle. J'en ai la chair de poule. Je m'assieds en tailleur, incapable de détacher les yeux de l'écran.

J'en ai un souvenir confus, comme un miroir brisé. Moi aussi, je suis brisée, et il le savait. Ce qui est bête, c'est que dès que je l'ai vu, je savais qu'il était à éviter. Dès le début, j'en étais consciente. Pas si facile de tomber sur des gens bien. Quand on s'est rencontrés, je me doutais qu'il se fichait de moi. Il y avait de la noirceur dans ses yeux, de la cruauté derrière son sourire. Pourquoi ne pas m'être écoutée ? Je pense que je savais même comment ça finirait : moi seule et lui qui se retire dans la nuit, comme une ombre.

Je retiens mon souffle.

Je n'arrive pas à croire que j'ai accroché avec lui comme ça. Et maintenant, le retour en arrière est impossible. Je suis perdue, partie et enterrée.

J'expire un grand coup. C'est Sierra. Son message depuis la tombe. Elle me parle. Je frissonne, mais sans me détourner. Je t'écoute, Sierra.

La musique s'accélère, et Taylor se met à chanter.

Je bois chaque parole, et quand le morceau se termine, je suis glacée jusqu'à la moelle.

C'est comme si Sierra était sortie de terre pour me prendre par les épaules et chanter face à moi.

Je regarde encore le clip. Puis encore.

Je l'ai entendue des tas de fois, cette chanson. Quand elle est sortie, elle passait en boucle à la radio... Mais je ne l'avais jamais vraiment écoutée. Je ne savais pas qu'elle évoquait un meurtre. La chanson de Sierra, pour moi.

Et soudain, ce qu'elle voudrait devient clair. Je sais ce que j'ai à faire. Je sais que je peux montrer au monde comme elle était belle et unique.

Quand je me mets enfin au lit, les paroles de Taylor Wolfe continuent de s'égrener dans ma tête. Je fixe l'obscurité pendant des heures avant de m'endormir enfin.

QUINZE

– Aujourd'hui, je vais chez Rachel et je veux que tu m'accompagnes.

Ébahie, je regarde maman. Hier, aux funérailles, Rachel a fait comme si j'étais invisible. Elle m'en veut que Sierra ait rencontré Jacob Jones sur mon ordinateur. Elle m'en veut de ne pas être allée le rencontrer aussi. De ne pas lui avoir parlé tout de suite après son appel de vendredi soir. D'avoir couvert son escapade. De ne pas non plus avoir appelé samedi matin quand Sierra n'est pas revenue. D'avoir autant attendu. Elle m'en veut que le tueur ait choisi Sierra plutôt que moi.

Cette dernière idée n'est qu'une hypothèse. Elle ne l'a jamais dit, mais je suis sûre qu'elle le pensait. Elle a tous les droits d'être en colère. Au moins, elle peut m'éliminer de sa vie. Pour moi, c'est impossible. Je dois vivre avec moi-même.

Mais ça ne s'arrête pas là. Rachel est fâchée contre beaucoup de monde – elle et Dave, en premier chef. Même Cassy. Rachel ne parle plus à personne, mais maman estime que nous devons continuer d'essayer, d'être présentes pour elle. D'après elle, Rachel sait au fond d'elle-même que je ne suis pas responsable de la mort de Sierra, et plus elle m'évitera, plus sa colère restera grande. Elle pense que si Rachel affrontait cette colère, me faisait face, à moi, elle en serait un peu soulagée.

– D'accord, dis-je d'un ton hésitant. Si tu penses que ça peut aider.

– Je n'en sais rien, c'est peut-être trop tôt. Mais on ne sait jamais. Ça pourrait lui apporter... quelque chose.

Je comprends où elle veut en venir, mais je préférerais que ce « quelque chose » ne soit pas forcément moi. L'anxiété me fait transpirer, alors j'allume la clim dans la voiture. J'essuie mes paumes sur mon jean, mais elles restent moites. J'aurais dû emporter une bouteille d'eau. Je pince les lèvres pour essayer de créer un peu d'humidité dans ma bouche. Je me passe les mains dans les cheveux en regrettant de ne pas les avoir attachés. Mon estomac est en révolution. Mais je repense que ma mère s'est montrée super-solide ces derniers jours, et je suis consciente de devoir moi aussi faire preuve de force.

Quand papa a été diagnostiqué, le sourire a disparu des yeux de maman. Après sa mort, pendant un moment, elle a arrêté de voir Rachel. Elle l'aimait toujours, mais son amie lui rappelait trop ce que sa vie aurait dû être, et il lui était donc difficile d'être avec elle. À tous les quatre, ils formaient un groupe qui a été brisé. Cependant, elle affirme que même au moment où elle avait l'impression de ne jamais vouloir revoir Rachel, elle savait que son amie était toujours là, la soutenait à distance, attendait dans son coin qu'elle rebondisse. Et c'est ce qu'elle fait depuis le jour où elles ont appris la disparition de Sierra.

Nous nous arrêtons dans l'allée devant la maison. Maman me tend un plat de lasagnes. Je suis contente d'avoir les mains occupées : ce sera moins pénible si Rachel ne m'embrasse pas.

– Souviens-toi, rien de tout ça n'est ta faute. Tu n'aurais rien pu arrêter.

Je hoche la tête, mais j'ai du mal à y croire. Maman sonne à la porte et quand Rachel ouvre, elle me foudroie du regard. Ses cheveux attachés paraissent plus sombres que d'habitude, presque marron. Elle a le visage amaigri, les traits tirés et les lèvres pincées. Quel coup de vieux... Maman la prend dans ses bras.

– Rachel, je passais juste vous déposer de quoi manger.

Rachel acquiesce sans rien dire.

– On ne va pas s'attarder, j'avais juste besoin de savoir comment tu vas.

Le visage de Rachel se déforme sous le coup de l'émotion et elle se détourne. Je regarde par terre. Maman me fait signe de me rendre dans la cuisine. Là, je sursaute en voyant Cassy devant le comptoir. Elle a les cheveux mouillés qui gouttent sur ses épaules, le visage pâle et gonflé. Je ne l'avais pas vue sans maquillage depuis des années. Elle me regarde, bouche bée. Je me prépare à recevoir un de ses sarcasmes habituels. Elle avance pour ouvrir la porte du réfrigérateur. Au début, je crois qu'elle veut prendre quelque chose, alors j'attends, mais elle s'écarte. C'est pour moi qu'elle l'a ouvert. Une fois que j'ai trouvé une place pour les lasagnes, elle referme et nous passons un moment gêné face à face. Après avoir esquissé un semblant de sourire triste, elle s'en va.

Cassy se montre gentille et Sierra n'est pas là. Rien n'est normal. C'est très étrange d'être chez Sierra sans m'y sentir la bienvenue. Je reste dans la cuisine sans savoir si je devrais aller retrouver maman et Rachel.

Je les trouve dans le salon, assises sur le canapé ; la maison est plongée dans le silence.

– Taylor prépare quelque chose pour Sierra, annonce maman, qui se tourne vers moi. Raconte à Rachel ce que tu as prévu.

Je déglutis avec difficulté, la gorge sèche.

– Je lance un blog consacré à Sierra. Je compte l'appeler Risk, et j'espère qu'il aidera d'autres personnes en les avertissant comme ça peut être dangereux... de rencontrer des gens sur Internet...

Trop peu, trop tard. Je n'ai pas réfléchi à tout, ce qui fait que je ne peux pas expliquer tout ce qu'il y aura dans le blog ou comment je vais l'organiser.

– Et si tu veux contribuer... tu peux... tu me dis, et...
Je m'arrête face à son air menaçant.

– Je suis désolée, Josie, je ne peux pas.

Rachel se lève, se dirige vers le couloir et s'enferme dans sa chambre. Nous battons en retraite et quand les portières de la voiture sont refermées, j'éclate en sanglots.

– Il lui faut du temps, c'est tout. Je sais que c'est difficile, mais on doit continuer d'essayer, me dit maman.

Sans répondre, je regarde par la vitre.

– Tu as fait ce qu'il fallait, m'assure maman en me prenant la main. (Nous restons comme ça un moment pendant que je me calme.) On va faire un détour pour te trouver un nouveau téléphone.

Je hoche la tête. J'ai bien envie d'en récupérer un, mais sans passer par la case magasin.

De retour à la maison, je me sens lessivée. Je laisse le téléphone dans sa boîte et m'allonge sur le canapé, pendant que maman s'installe sur l'autre.

– Ce n'est pas ta faute, Taylor. Sierra serait allée à ce rendez-vous quoi qu'il arrive. Depuis toute petite, elle repoussait toujours les limites.

– Je sais. (Je repense à toute vitesse aux années écoulées.) Tu te souviens, la fois où on est allés camper dans les Grampians, que Sierra est montée sur cette espèce de pont hyperdangereux et que Rachel hurlait à côté ? dis-je en riant. Qu'est-ce qu'elle avait, à l'époque, cinq ans ?

– Et au mont Buller, continue maman, le sourire aux lèvres, quand elle est passée sous le ruban qui interdisait l'accès à une compète de ski, et qu'elle a fait tomber un skieur avant qu'il atteigne son tremplin ?

– Celle-là, elle était même passée aux infos, dis-je en riant.

– Pauvre Rachel, ce qu'elle était furax ! se souvient maman.

– Et l'année où Cassy avait mangé les œufs de Pâques de Sierra ! Pour se venger, elle avait lancé le tuyau d'arrosage sur le lit de Cassy !

J'étais là, mais je n'étais pas au courant, elle a agi si vite et si discrètement. Tout le monde a marché sur le tuyau plusieurs fois sans comprendre pourquoi il était là.

– C'est sûr, Sierra était loin d'être ennuyeuse, dit maman. Ce qu'elle a fait, comme folies...

Je respire profondément et j'essaie de me détendre en m'étirant.

Je sais ce que je vais faire, maintenant. Si Rachel était en colère, ce n'était pas à propos du blog mais parce qu'elle m'en veut toujours. Je souhaite toujours réaliser mon projet, mais je vais voir les choses en plus grand : je vais réaliser un vrai site. Pour Sierra. Pour moi.

* * *

Callum arrive environ une heure plus tard. Sa simple présence est réconfortante. Je ne sais toujours pas ce qu'il ressentait réellement pour Sierra ni ce qu'il éprouve pour moi maintenant.

Ce samedi avec lui reste un beau souvenir. La dernière fois où j'ai été heureuse. Il est simplement arrivé au mauvais moment. Je commence à me dire que notre relation n'a peut-être pas été mise en suspens, mais carrément à l'arrêt. Nous nous comportons toujours comme si rien ne s'était passé.

– Vous avez des nouvelles de la police ? demande Callum à ma mère.

– Pour l'instant, ils n'ont rien. Aucun suspect.

– Et les photos qu'ils ont grâce à la caméra de sécurité ? Ça a bien dû mener quelque part ?

– On espère, répond maman avec tristesse, en se redressant sur le canapé. Je vais vous laisser tous les deux. Merci, Taylor, d'être venue aujourd'hui. Je sais que c'était très désagréable, mais il faudra qu'on continue de tâter le terrain chez Rachel. On doit être là pour elle, même si ce n'est pas facile.

Callum me regarde d'un air interrogateur. J'attends que maman soit sortie avant de lui raconter notre visite chez Rachel. Ce récit m'amène à lui exposer mon idée de site, et les yeux de Callum s'éclairent. Il est beau, j'ai envie de l'embrasser... je détourne le regard.

– Super-idée. Tu as besoin d'aide ?

– Ah ça, oui ! (Nous rions tous les deux de ma réponse.) Tu en as déjà fait un ?

– Non, mais je vais voir si je peux trouver comment faire. Ça sera sympa de se concentrer sur autre chose...

Ses yeux sont d'une tristesse insondable. C'est le regard que je vois dans le miroir tous les matins.

Callum retourne chez lui d'un coup de vélo pour prendre son ordi, pour qu'on ait chacun le nôtre – j'ai toujours celui du lycée. Nous nous installons sur le canapé, à côté l'un de l'autre, dans le salon, et maman passe de temps en temps pour lancer une machine, jardiner, puis nous apporter un déjeuner sur le pouce. Je trouve du réconfort dans le fait qu'elle soit là, affairée à des tâches normales.

Sur le net, nous trouvons des explications sur la construction de sites, avec des modèles utilisables. C'est fastidieux, mais bien plus facile que je ne le pensais.

J'établis une liste de ce que doit comprendre le site à venir :
– Présentation de Sierra. Des photos, son histoire.
– Blog.
– Forum : un lieu d'échanges avec des conversations programmées sur un thème précis.
– Galerie de photos, en commençant par celles envoyées par Jacob Jones, pour qu'on puisse voir comme il est facile de créer un faux personnage convaincant.

Callum regarde ce que j'ai écrit.

– Tu veux qu'on puisse ajouter autant de pages qu'il le faut au fur et à mesure ? Au cas où tu penserais à autre chose ?

– C'est facile à faire ?

– J'en sais rien, répond-il en riant. Mais je suis sûr qu'il y aurait du monde au lycée qui pourrait nous renseigner.

L'aspect technique de la construction d'un site ne me plaît pas et j'ai du mal à me concentrer pour lire les explications. Je propose :

– Tu peux être webmaster, et moi je m'occupe du contenu.

Il acquiesce avec un sourire. Nous nous regardons un moment, et je m'attends à ce qu'il détourne les yeux, mais il ne le fait pas. Aucun de nous. Il se rapproche de mon visage et me dit d'une voix plus grave :

– Je voudrais quand même écrire des posts pour le blog, plus tard.

Nos visages sont si proches qu'il se pourrait bien qu'il m'embrasse.

– Bien sûr.

Je me demande ce qu'il veut dire, mais ce n'est pas le moment de poser la question. Je préfère supprimer la distance entre nous. Nos lèvres vont se toucher. Je m'arrête pour lui donner le temps de reculer s'il préfère.

C'est à ce moment-là qu'on frappe à la porte d'entrée.

Je ferme et rouvre les yeux. Pire moment, c'était pas possible. Callum sourit, puis son regard se dirige vers la porte. Le moment est passé.

On toque de nouveau.

– Tu devrais aller ouvrir.

Je pose mon ordi sur la table basse et me dirige vers la porte, sur laquelle de nouveaux coups résonnent, plus pressants cette fois. Soudain, je me demande vraiment qui ça peut être et ce qui ne va pas.

C'est Dave, le père de Sierra, dans un état ahurissant. Complètement hirsute, il a d'énormes cernes et les yeux hagards. Il paraît sur les nerfs et en proie à des tas d'émotions. C'est un choc pour moi de le voir ici. Je ne lui ai pas reparlé depuis son retour des États-Unis. Je ne sais pas quoi lui dire. Est-il venu me reprocher d'avoir rendu visite à Rachel ? Est-ce qu'il m'estime responsable, lui aussi ?

Je recule en ouvrant de grands yeux et me prépare à des cris.

– J'aurais dû appeler, commence-t-il. Je... je passais dans le coin...

Sa voix déraille et je me dis qu'il va craquer et se mettre à pleurer. Tremblant, il se passe une main sur le front et peine à parler, puis reprend contenance.

– Josie est là ?

Je ne m'attendais tellement pas à cette question que, l'espace d'un instant, je reste figée. Je finis quand même par m'écarter.

– Oui, entre.

Je ferme la porte derrière lui et m'éloigne pour aller chercher maman.

– Ce n'est pas ta faute, Taylor, dit soudain Dave. C'est lui qui l'a tuée. C'est à lui que j'en veux.

Une grosse boule se forme dans ma gorge. J'ai envie d'étreindre Dave, mais je trouverais ça bizarre, alors je reste là, en proie au malaise, sans savoir que répondre.

– Dave ? fait maman, qui a l'air aussi choquée que moi de le voir ici, aussi négligé. Tout va bien ?

Évidemment, elle sait que ce n'est pas le cas. Ça n'arrivera plus jamais. Mais ce n'est pas le sens de sa question. C'est des événements qui l'ont amené à notre porte qu'elle parle. Dave ne répond pas.

– Viens à la cuisine, je t'offre à boire.

Quand je retourne dans le salon, nous échangeons à peine quelques mots. Callum a dû entendre Dave, et son trouble évident. Ces problèmes sont plus importants que notre histoire d'amour hésitante, alors encore une fois, nous faisons comme si rien ne s'était passé entre nous. Nous travaillons l'un à côté de l'autre pendant un moment et, bientôt, Callum part pour son match de foot. Une fois seule, je me laisse distraire par l'idée de ce que peuvent se dire maman et Dave. Leurs voix sont trop basses pour que je puisse distinguer les mots. Je résiste à l'envie d'aller dans la cuisine en faisant mine de vouloir un verre d'eau et me décide à prendre quelques albums photos. Nous avons des images de Sierra depuis qu'elle est bébé. J'en trouve une correspondant à chaque année de sa vie, avec un souvenir rattaché à chacune. Je les scanne et les modifie : j'altère légèrement les couleurs pour mettre en lumière ses cheveux dorés, des étincelles dans ses yeux ou la beauté de son sourire. J'ai des clichés d'elle au poney-club, dans la neige, au milieu des fleurs, en uniforme pour l'école, en train de danser sur la plage, à la piscine... j'aligne les quinze photos. Sur la dernière, c'est là qu'elle ressemble le plus à Taylor Wolfe. C'est forcément celle-ci qu'elle choisirait. Elle paraît heureuse, débordante d'énergie, tellement vivante... J'éclaircis les couleurs à part celle de ses lèvres, que je rends d'un rouge très vif. Il a peut-être tué Sierra, mais il ne lui arrachera jamais sa vitalité.

Mes yeux sont inondés de larmes. Le désespoir ne me quitte jamais. Tout à coup, maman et Dave sont à la porte, et je me tamponne le visage.

– Euh, ça va. C'est juste... désolée.

Dave me regarde un moment. Il a toujours l'air d'une épave.

– Je pensais ce que je t'ai dit tout à l'heure.

Je voudrais lui dire comme c'est important pour moi, mais la boule est de retour dans ma gorge et je suis incapable de prononcer un mot.

Maman lui parle dans l'allée pendant quelques minutes, puis sa voiture s'éloigne. Elle revient dans le salon.

– Ça va ? me demande-t-elle.

Je hoche la tête.

– Il s'est passé quelque chose ?

– Ça a dégénéré entre Rachel, Dave et Cassy. Ils ont eu une énorme dispute.

– Il n'avait pas l'air bien.

– Non, mais il voudrait arranger les choses. Il veut être auprès de Rachel, mais il ne sait pas si elle va l'accepter.

Quand maman s'en va, je m'affale sur le canapé et regarde le plafond. Juste au moment où je pense que c'est impossible que l'étau se resserre encore plus sur mon cœur, je réalise que c'est faux. L'idée que Rachel et Dave se séparent est insoutenable.

Je me donne un quart d'heure, puis m'oblige à me lever du canapé pour continuer de travailler sur le site. Quand Callum revient, j'ai disposé les photos sur une page web, par ordre chronologique, de plus en plus grandes. Les clichés se déroulent depuis le haut, puis s'incurvent en un large chemin vers celui de ses quinze ans. Je souris à Callum et continue de travailler. J'écris un texte qui suit les photos, puis je rédige un passage au sujet de la rencontre entre Sierra et l'homme qui l'a tuée. À côté de moi, Callum tape aussi. Je me concentre sur sa présence, consciente que nous sommes tout près l'un de l'autre, les jambes qui se touchent presque. J'enregistre la page, prends une grande inspiration et m'éloigne de mon ordi. Quand je me retourne, Callum a les yeux sur moi. Il replonge dans ses activités.

De toute façon, j'ai besoin d'une pause. Il me faut un peu de temps loin de Sierra, alors je vais à la cuisine où je prépare des toasts au fromage, ainsi que deux chocolats chauds, et je les apporte dans le salon.

Callum repose son ordinateur, s'affale de côté sur le canapé et s'étire. L'air frais et l'exercice ont rendu sa peau plus lumineuse. Il ne pose pas de questions sur Dave, alors je n'évoque pas le sujet.

– Tu as gagné ton match, au fait ?

– Non, pas un but, répond-il en riant. Le site prend tournure, mais je vais voir au lycée si je peux trouver quelqu'un qui aiderait à mettre la touche finale et s'assure que ça fonctionne bien.

– Super. On pourra peut-être le mettre en ligne la semaine prochaine.

– Peut-être. Tu voudrais l'appeler comment ?

Je rougis, alors que je ne devrais pas me sentir gênée.

– Risk.

– Risk, répète-t-il.

Apparemment, il ne trouve pas ce nom si formidable que ça.

– Le plus important, c'est Sierra, mais je sais qu'elle ne voudrait pas qu'il s'agisse seulement d'elle. Elle voudrait que son destin puisse aider les autres. Tu imagines, elle est morte parce qu'elle ne savait même pas qu'elle prenait des risques. Elle n'a jamais eu la moindre chance.

Je suis dans tous mes états à l'idée que le tueur de Sierra soit toujours libre de recommencer. Il pourrait être en ligne en train d'appâter des filles en ce moment même.

– Bon choix de nom, approuve alors Callum d'une voix rauque.

Lui aussi est dans une vague de chagrin. Elles vont et viennent, refluent un moment, puis frappent de nouveau. Il suffit d'un souvenir, d'une odeur, d'un bruit, d'une chanson pour en déclencher une.

– Je veux lancer le site pendant que tout le monde parle encore de Sierra. Les élèves du lycée le partageront. Si on commence maintenant, on obtiendra plus de trafic. (Ma voix commence à s'altérer.) Même si on épargne la vie d'un seul être humain, ça vaut le coup. On ne pourra jamais le savoir, bien sûr... On n'est mis au courant que si quelqu'un meurt, mais... rien que le fait de lire ce site... on ne sait jamais. Ça pourrait sauver quelqu'un.

À mes paroles, Callum craque. Il se détourne vers le canapé et pleure en silence. Je pose la main sur son dos et lui masse la nuque. J'ai envie de le prendre dans mes bras et de le serrer fort.

– C'est normal de pleurer, dis-je, parce que je ne l'ai jamais vu dans cet état auparavant.

Quand ses sanglots ont cessé et que sa respiration se calme, je me lève. Il garde le visage entre ses mains, et je sais qu'il est gêné, alors je sors voir ce que fait ma mère. Assise dans un siège sous un arbre au fond du jardin, elle a les yeux dans le vague. Je m'assieds à côté d'elle et ça ne la dérange pas. Le processus de deuil, ce n'est pas facile ni sympa, mais on sait qu'on y survivra. J'ai appris à le suivre quand papa est mort. Même avant, quand nous savions qu'il allait mourir. Rien ne peut enrober cette réalité.

SEIZE

Le week-end s'étire en longueur, et j'ai pas mal de boulot pour rattraper les cours, ce qui m'empêche me consacrer entièrement au site. Je ne suis pas retournée au lycée depuis la découverte du corps de Sierra, mais maman y est passée plusieurs fois pour me prendre les cours et les devoirs auprès des profs. J'expédie le tout aussi vite que possible.

Je n'ai pas eu de nouvelles de Callum depuis qu'il est rentré chez lui samedi après-midi.

Lundi matin, je l'appelle pour savoir si je peux aller au lycée avec lui. Une demi-heure plus tard, sa mère vient me chercher et nous dépose devant le bahut. Nous traversons l'ovale du terrain de foot australien pour nous rendre dans le réfectoire. Riley et Joel sont tous seuls à leur table. C'est comme s'il existait un champ magnétique invisible autour d'eux pour avertir les autres de se tenir à distance.

– Salut, Riley.

Elle a le teint blafard zébré de vilaines rougeurs çà et là. Je détourne le regard de son front, où des boutons ont éclos, pour me focaliser sur ses yeux. Je ne l'ai pas appelée depuis la confirmation du décès, et maintenant, je me sens un peu bête. Je repère une tension entre elle et Joel. Encore une dispute ? Je lui demande :

– Tout va bien ?

– Qu'est-ce que tu as fait, tout ce temps ?

Elle ne pose pas cette question de façon amicale mais accusatrice. Je rougis comme une pivoine avant d'expliquer :

– J'ai travaillé sur un site Internet... pour Sierra.

Elle me regarde d'un air sidéré. Callum ramasse son sac, qu'il remet sur son épaule, et lui lance un regard noir.

– Je me barre, décrète-t-il.

Joel incline la tête vers Riley en guise d'avertissement. Il se lève et suit le chemin de Callum. Riley attend qu'ils soient partis pour me cracher :

– Je suis au courant pour toi et Callum.

Je rougis, et elle poursuit, les yeux plissés de colère :

– Tu me l'avais caché.

Je ne sais pas trop quoi dire.

– Il n'y a pas grand-chose à raconter... on s'est embrassés juste avant la disparition de Sierra. Et puis après, ça semblait sans importance.

Riley grommelle un « humpf », et j'ajoute :

– Il ne s'est rien passé depuis.

— Et tu penses que je vais te croire ? Il vit quasiment chez toi.

Je ne sais pas pourquoi elle s'imagine que je lui mens ni pourquoi elle se montre aussi agressive, mais ça commence à bien faire.

— C'est la vérité ! (Je n'ai pas le temps ni l'énergie pour me justifier.) Et ce que tu crois, je m'en fiche.

En première heure, nous avons cours de maths. Je m'assieds à côté d'Izzy en ignorant Riley qui fait mine de ne rien remarquer. Maintenant, je ne suis pas aussi naturelle en parlant à Callum. Il n'a rien dit, mais je vois que lui aussi reste à l'écart de Riley. Je suis surprise qu'il lui ait parlé de nous. Je ne sais pas quoi en penser, alors j'essaie de ne pas y réfléchir.

À l'heure du déjeuner, je trouve une place à la cantine, et Riley s'installe à côté de moi.

— Ça t'embête pas que je me mette là ? demande-t-elle, penaude.

Je secoue la tête. Ni Joel ni Callum ne sont à l'horizon.

— Alors, qu'est-ce que vous avez fait ? Pour le site, je veux dire.

— On travaille sur quelque chose en l'honneur de Sierra. On partait sur un blog, et puis on a revu nos ambitions à la hausse.

— Un site ? Genre, un hommage ?

Elle essaie de ne pas laisser transparaître son dégoût, mais il ressort quand même.

– Oui.

– Un peu morbide, non ?

– Il y aura des photos d'elle, une page blog, un forum et une galerie. Je vais y mettre les photos envoyées par Jacob Jones. (Je regarde au loin un instant, à la recherche des mots justes.) Ça pourrait aider... empêcher que la même chose arrive à quelqu'un d'autre.

Une boule se forme dans ma gorge. Riley me considère un moment, puis regarde par la fenêtre.

– Et donc, c'est toi et Callum qui vous en occupez ?

– Pour l'instant.

– C'est-à-dire ?

Qu'est-ce qu'elle a, elle est jalouse ? Je sais qu'elle n'a pas le béguin pour Callum, donc elle doit se montrer possessive vis-à-vis de moi. Elle est habituée à ce que je sois célibataire et disponible pour elle en permanence.

– Mais qu'est-ce que t'as, Riley ?

– Je me demandais si vous aviez besoin d'aide.

Je ricane.

– De ton aide ? Tu détestais Sierra. (Je regrette aussitôt mes propos. Quel sale conne je suis ! Mes yeux s'emplissent de larmes.) Excuse-moi...

Riley regarde encore par la fenêtre un temps, puis s'en va. Je reste seule à la table. Izzy croise mon regard. Son groupe nous écoutait sans doute. Je détourne les yeux vers une autre bande de filles, qui rigolent et bavardent. Le lycée se poursuit sans Sierra. Les élèves ont retrouvé leurs habitudes, comme si rien ne s'était passé.

En temps normal, je serais gênée de me retrouver toute seule, mais là, je me dis : qu'est-ce que ça peut faire ? Les détails ridicules qui m'inquiétaient avant ! Quelle perte de temps... Je sors mon cahier pour retrouver la page où j'avais écrit : « Vous surfez anonyme ou vous prenez des risques ? » J'entreprends de rédiger mon premier billet de blog. À la fin de l'heure du déjeuner, je l'ai terminé. En cours de littérature, je trouve la présentation de la galerie. En cours d'arts ménagers, je ne peux rien faire, car c'est cuisine. Et je ne sais pas pourquoi, mais aujourd'hui, le fait de manipuler de la nourriture me donne envie de vomir. Je dois me concentrer pour me retenir, mais je sens mon petit déjeuner remonter au fond de ma gorge, avec le goût acide des remontées. J'attrape un chewing-gum dans mon sac. Je le mâche juste assez pour profiter du parfum de menthe, puis je le jette. Les chewing-gums sont interdits au lycée. C'est un membre du personnel d'entretien qui a obtenu cette règle un jour où, dans une classe, il en a trouvé sous chaque bureau sans aucune exception.

En dernière heure, j'ai informatique. C'est la matière qui m'intéresse le moins, avec le prof que j'aime le moins, mais aujourd'hui, j'écoute. Je pose des tonnes de questions qui n'ont rien à voir avec le cours. Je ralentis la progression, et certains élèves me disent de la fermer. M. Sam me demande de rester après le cours. Callum ne fait aucun commentaire. Je l'ai à peine vu de toute la journée, même si on avait plusieurs cours ensemble. Riley a séché celui-ci. Si c'est pour m'éviter, c'est assez extrême, je trouve.

La sonnerie retentit. Ouf, la journée est enfin terminée. Tout le monde sort, mais je reste sur ma chaise.

– Taylor, ton intérêt pour l'informatique était très impressionnant aujourd'hui.

M. Sam est un génie dans sa partie, mais c'est à cause de son ironie que les élèves ne l'aiment pas.

– C'était absolument charmant, mais est-ce que tu as écouté quoi que ce soit de mon cours ? poursuit-il d'un ton arrogant. Je devrais peut-être t'envoyer le résumé par mail, sachant que tu n'as pris aucune note ?

Il passe son temps à envoyer des mails aux élèves pour leur donner des infos supplémentaires, d'où son surnom de M. Spam.

– Écoute, Taylor. Tu veux bien me dire ce que tu essaies de faire ? Il se pourrait que je sois capable de te tirer de ta détresse. Et par la même occasion, de soulager la souffrance de tes camarades de classe.

Il lève les yeux au ciel. Je sais qu'il n'a pas vraiment envie de m'aider, mais je vais quand même lui faire part de mon problème.

– Je suis en train de construire un site appelé Risk, en hommage à Sierra.

L'air vraiment intéressé, il sourit et hoche la tête.

– C'est gentil.

Je n'arrive pas à déterminer s'il se montre condescendant.

– Quel objectif as-tu pour ce site, exactement ?

– D'honorer la mémoire de Sierra. La page d'accueil montre des photos, une pour chaque année de sa vie. Je veux que le monde la voie, la connaisse. Je veux qu'on sache que c'était quelqu'un de réel, qui a juste fait une erreur. Ç'aurait pu être n'importe qui. Je veux aussi un forum où les gens peuvent discuter de leurs problèmes. Et une galerie pour ajouter des photos. J'y mettrai celles que le tueur de Sierra m'a envoyées.

Je m'interromps devant l'expression de M. Sam quand je parle de montrer le visage de ce pauvre gars qui n'a rien fait.

– Bien sûr, je flouterai le visage utilisé par l'assassin. Mais je veux que les photos soient là, pour montrer aux autres comme c'était simple pour lui de se forger une fausse identité. Il était tellement malin, et on n'en avait aucune idée. Je veux aussi me créer une adresse mail où les gens pourront m'envoyer des messages privés. D'autres voudront peut-être écrire des posts sur le blog, pour partager leur expérience. (Je sais que j'en dis trop et cette dernière idée vient juste de me venir, mais je n'arrive pas à m'arrêter de m'épancher.) Mon premier post s'appellera : « Vous surfez anonyme ou vous prenez des risques ? » Il y aura un questionnaire rapide pour savoir dans quelle catégorie on se situe. Je veux expliquer ce qu'est un serveur proxy et comment les utiliser. Sierra n'avait aucune idée de leur existence.

Je reprends mon souffle. M. Sam hoche la tête, il ne dégage plus d'ondes de supériorité.

– Très bien. Je vois que ce projet te tient vraiment à cœur. Tu as visiblement beaucoup réfléchi à tes objectifs, et je trouve tes intentions formidables. Tu aimerais de l'aide ?

Rougissante, je bats des cils au moins cinquante fois en trois secondes. Moi qui croyais qu'il allait me coller !

– Oui. Enfin, j'ai déjà de l'aide de Callum. Je sais, dis-je en voyant le prof lever un sourcil sceptique, ce n'est pas un pro de l'informatique, mais on a fait des recherches tout le week-end et il a déjà accompli des tas de choses. Mais ce serait bien d'avoir quelqu'un qui s'y connaît vraiment.

M. Sam regarde derrière moi.

– Tu n'as qu'à te joindre à nous, Callum, dit-il en direction du couloir.

Je regarde derrière moi et Callum se montre. Je ne savais pas qu'il était là. Heureusement que j'ai pas épilogué sur ses compétences côté ordi. Quant à M. Sam, il me surprend vraiment. Il paraît plutôt normal... et même sympa.

– Je vous propose de me retrouver ici pendant la pause déjeuner, avec tout ce que vous aurez préparé. On va lancer votre site. Mais je veux votre promesse que si je vous aide, vous ne vous en occupiez pas pendant les cours. Ni les miens ni les autres. Taylor, ça fait deux fois dans la journée qu'on parle de toi en salle des profs, parce que tu n'es pas concentrée en classe. Ça marche ?

Pour la première fois depuis la mort de Sierra, je fais un grand sourire spontané. La tension dans ma poitrine se relâche légèrement.

– Oui, Monsieur Sam. Ça marche.

Nous nous serrons la main pour sceller notre accord.

DIX-SEPT

Après les cours, chacun rentre chez soi et nous nous remettons au site. Callum et moi nous appelons six fois dans la soirée pour nous consulter. Une fois que j'en ai fait autant que je pouvais, je passe un certain temps à examiner des cas de personnes disparues. Il y en a tant qui restent évaporées. Tout ce que je peux espérer, c'est que Risk puisse aider, montrer aux victimes potentielles ce qui est susceptible de se produire.

Le lendemain matin, Riley n'est pas là, et je demande où elle est à Joel.

— Je sais pas, répond-il en passant les mains dans sa coupe à la Justin Bieber. On s'est disputés hier et je ne lui ai pas reparlé depuis. Elle était vraiment injuste, grimace-t-il.

– Booon... Moi aussi, je me suis disputée avec elle. Ça n'a pas dû aider.

Je suis toujours agacée qu'elle m'en veuille, mais je me sens aussi coupable d'avoir fait empirer sa journée. Je ne veux pas qu'elle soit déprimée. Elle a été tellement désagréable au sujet de Sierra avant sa disparition qu'elle doit se sentir très mal. Je prends mon téléphone pour lui écrire :

Coucou, j'espère que tout va bien.

J'appuie sur « envoyer ».

Quand enfin l'heure du déjeuner arrive, je n'en peux plus d'impatience. Je pose mon ordi portable et ma chemise sur le bureau pour montrer à M. Sam l'avancée de notre réalisation. Il pianote sur le clavier et déclare :

– On dirait que Callum a déjà fait le gros du travail, alors mon intervention ne va pas durer longtemps. Ce n'est pas un site de vente mais d'information, donc c'est simple à mettre en route.

Il nous montre comment ajouter des données, éditer nos articles et créer de nouvelles pages.

Je lui montre ma page d'accueil, qu'il charge aussitôt. Il fait de même avec celle du blog et m'explique comment annoncer un thème de discussion dans le forum et comment supprimer des commentaires. Ensuite, on passe à la galerie où, pour l'instant, il n'y aura que deux photos dont j'ai pris soin de noircir les visages.

Callum ne dit pas grand-chose, mais a l'air très content de ce que fait le prof. Pour ma part, je leur annonce :

– Je veux suivre l'affaire Sierra en ajoutant des liens vers des articles en rapport. Il me faudrait une page où je puisse continuer d'ajouter à mesure des parutions sur le net. J'ai envisagé de suivre aussi d'autres affaires, mais il y en a trop. Si on commence à chercher, on se rend compte qu'il y a énormément de gens disparus, dis-je en montrant les articles. Alors, au lieu d'informer, cette page-là pourrait simplement donner des liens vers d'autres sites qui parlent de ces personnes.

Callum fronce les sourcils.

– Et si tu découvres un élément que la police n'a pas et qu'un fou se met à vouloir ta peau ?

Nous nous tournons tous les deux vers M. Sam pour avoir son opinion. Il frotte son menton pointu et déclare :

– Les enquêtes policières sont bien plus approfondies que ce qui est rapporté dans les articles. Ça m'étonnerait que Taylor rencontre des problèmes en donnant le lien vers des articles. Ce sont des informations déjà publiques.

– Oui, j'imagine qu'elle ne trouvera rien que la police ne sache pas déjà, approuve Callum.

– Très bien, poursuit le prof d'informatique. Je vais travailler là-dessus cet après-midi, et vous devriez pouvoir lancer le site avec la première page de photos et le blog tout à l'heure, après les cours. Les autres pages prendront plus de temps, mais on pourra les ajouter au fur et à mesure.

J'ai du mal à contenir mon excitation. Sierra serait ravie. J'éclate en sanglots, ce qui me surprend moi-même. Je remercie M. Sam en l'étreignant. Il se raidit et garde les bras ballants, ce qui me fait rire.

Après la fin des cours, Callum et moi retrouvons M. Sam à la salle d'informatique. Il est toujours en train de travailler sur notre projet. Franchement honorée par sa contribution, je me jure qu'à partir de maintenant, je ferai davantage d'efforts dans son cours et que je ne l'appellerai plus jamais M. Spam. Je me rends compte que son attitude railleuse à l'égard de certains élèves de sa classe est due à leur manque d'intérêt. En fait, il est gentil avec ceux qui essaient.

– J'en suis à la touche finale. J'ai ajouté des icônes pour que les gens puissent partager les articles sur leur compte Facebook ou Twitter. (Il nous sourit.) C'est bon, tout est prêt. Vous êtes désormais les heureux propriétaires de votre propre site. Enfin, de deux pages. (Il se lève d'un bond.) Jetez un œil et dites-moi ce que vous en pensez.

Je m'assieds, et les émotions se bousculent. Callum prend une chaise pour s'installer à côté de moi et, après une petite pression sur ma main, il attend que je commence. Je clique sur la page d'accueil.

Des feuilles d'automne cascadent du haut de l'écran, jaunes, rouges et orange. Juste avant d'atteindre le bas, elles virevoltent une dernière fois pour se transformer en une photo de Sierra. Les mots tombent comme une douce brise pour prendre leur place en dessous. Quand le plus grand cliché apparaît, il affiche des couleurs vives. Sierra est belle sur toutes les images. Elle adorerait. J'ai du mal à croire que le résultat soit aussi pro. Tout ressemble exactement à ce que j'imaginais. Je passe au blog. J'adore, au point que j'en reste muette. Je me tourne vers M. Sam, à qui j'adresse un signe de tête approbateur, parce que je n'arrive pas à parler. Il sourit. Callum se tourne vers lui :

– Merci, Monsieur Sam. C'est génial.

– Comme je te disais, Callum, tu avais déjà bien avancé. Je n'ai pas eu grand-chose à faire.

À ce moment, je demande :

– Comment on publie le tout ?

M. Sam vient se mettre entre nous et on lui laisse de la place. En quelques clics, c'est fait. Notre site est officiellement en ligne. Le prof nous annonce qu'il va travailler sur les autres pages et les publier une fois terminées. Il nous parle aussi de termes clés, de moteurs de recherche et de diriger le trafic vers le site, mais je suis tellement aux anges que j'ai du mal à écouter.

Je vais rapidement sur Facebook et Twitter pour poster un lien vers le site, imitée par Callum. Après avoir remercié M. Sam encore cinq cents fois, nous partons.

Une fois chez moi, j'essaie de me poser et de me concentrer. J'ai des tonnes de devoirs, que j'ai promis à M. Sam de faire... Malgré tout, je ne peux m'empêcher d'aller regarder mon site. Le lien sur Facebook avait déjà trente likes et presque autant de partages avant même mon arrivée chez moi.

Dans la soirée, le nombre évolue constamment et les commentaires commencent à affluer. Les réactions sont différenciées. Certaines personnes disent qu'elles pleurent, que c'est beau, d'autres que Sierra leur manque énormément. Le premier post de blog est très visité et des commentaires apparaissent là aussi. La plupart des internautes avouent se retrouver dans la catégorie de ceux qui prennent des risques et expriment leur surprise et leur indignation. Je relis mon post :

Je voudrais vous présenter mon amie Sierra. Elle a 15 ans. Un jeudi après-midi de janvier, à la toute fin des vacances d'été, Sierra a rencontré un garçon en ligne. Elle l'a trouvé sur Mysterychat, et ils ont commencé à discuter. Au début, on s'est dit que c'était pour rigoler, mais il nous a surprises. Il était cool et drôle. Sierra a accroché tout de suite et a passé les journées suivantes en ligne avec lui dans des chatrooms privées. Ils ont échangé des photos et parlé pendant des heures. Le lundi suivant, Sierra était à fond et avait prévu de le rencontrer le vendredi après les cours.

Ce jour-là, Sierra m'a appelée pendant son rendez-vous. Elle m'a dit que le mec était génial et qu'elle voulait passer la nuit avec lui. Elle m'a promis d'être de retour le lendemain matin. Elle avait l'air heureuse et tout excitée. Elle était amoureuse.

C'est la dernière fois que j'ai parlé à Sierra. Elle n'est pas revenue le samedi matin. La police a été mise au courant de sa disparition le dimanche après-midi.

Une semaine plus tard, Sierra a été retrouvée enterrée près de Ballarat.

Les autorités sont encore à la recherche de son assassin. Ce sera très difficile de le retrouver, parce qu'il était en ligne de façon anonyme. Il a utilisé un serveur proxy, qui lui permettait de se balader sur Internet sans laisser aucune trace. Il a pu rencontrer Sierra et lui débiter tous les mensonges possibles pour qu'elle tombe amoureuse de lui, en sachant que son profil en ligne ne permettrait jamais de remonter jusqu'à lui.

Sierra n'avait aucune idée de l'existence des proxy et n'a jamais su qu'elle était en danger. C'est ce qui a fait d'elle une proie facile.

En répondant à quelques questions du test ci-dessous, vous pourrez savoir où vous vous trouvez sur l'échelle entre anonyme et à risque.

Une notification apparaît à mon écran. C'est mon premier mail lié au site.

Chère Taylor,

Je suis vraiment désolée d'apprendre ce qui est arrivé à ton amie Sierra. Ton site est superbe et m'a fait pleurer. Et puis ensuite, j'ai le fait le test. OMG. Apprendre tout ça sur les serveurs proxy, ça m'a rendue malade. J'ai déjà rencontré des garçons en ligne, et tout s'est toujours bien passé. Mais une fois, il y en avait un de vraiment zarbi. Il était beaucoup plus vieux que ce qu'il m'avait dit et je l'ai trouvé flippant. Je lui ai dit que j'allais aux toilettes de la gare et j'ai filé en douce. Quand je suis rentrée chez moi, je l'ai cherché sur Internet : je ne l'ai trouvé NULLE PART. Il avait dû utiliser un faux nom. Il m'avait dit s'appeler Jack Palmer, et je t'ai mis sa photo en pièce jointe.

C'était vraiment une photo de lui, mais je pense qu'il s'était photoshopé pour se faire paraître plus jeune.

J'espère qu'ils retrouveront bientôt le tueur de Sierra.

Buffy

En lisant ce message, j'ai la chair de poule. J'ouvre la pièce jointe, m'attendant presque à voir la photo truquée de Jacob Jones. Non. Je me remets à respirer, alors que je n'avais pas eu conscience de retenir mon souffle. La photo montre un mec qui porte des lunettes de soleil devant un mur blanc : elle est sans doute prise en intérieur. Difficile de lui donner un âge. Il a les cheveux blond foncé, assez longs pour être attachés en queue-de-cheval. On ne voit pas la couleur de ses yeux. Rien chez lui ne fait peur et Buffy a confirmé que c'était bien lui qu'elle avait rencontré. Au moins, c'est une vraie photo qu'il a envoyée. D'accord, il a menti sur son âge, mais bon, Sierra aussi. Je sauvegarde la photo sur mon disque dur et tape le nom qu'il a donné en dessous. Ensuite j'envoie une réponse rapide pour remercier Buffy de son mail.

Je n'arrive toujours pas à me concentrer sur mes devoirs. Je ne peux m'empêcher de retourner sur mon site. J'envoie des nouvelles à Callum, qui répond chaque fois dans la minute.

DIX-HUIT

L e lendemain matin, Callum et moi traversons le terrain de foot. Plusieurs élèves viennent nous voir pour nous complimenter sur le site. Quand nous entrons dans le self, un brouhaha se fait et beaucoup de monde se tourne vers moi. Quelques personnes sourient et me font signe.

Je cherche Joel et Riley. Joel est avec un groupe de mecs, mais Riley n'est nulle part en vue. Aucun message d'elle sur mon téléphone. Je parcours encore une fois les visages. En apercevant Izzy, je me dirige vers elle.

— Salut, tu n'aurais pas vu Riley ?

— Elle est là, répond-elle en scrutant la salle. Je l'ai vue il y a environ vingt minutes.

— Et elle avait l'air d'aller bien ?

– Bof, pas vraiment. Elle a encore rompu avec Joel hier soir.

– Oh, je ne savais pas.

Je me sens vraiment bête. Je regarde encore mon téléphone, puis Facebook. Je n'ai aucun message d'elle, mais je vois un mail envoyé quelques minutes plus tôt par M. Sam pour m'annoncer que le forum est en ligne.

À l'heure du déjeuner, je fais la pub sur Facebook et Twitter pour la première discussion en temps réel, à 20 heures. Le thème sera : « Seriez-vous prêts à rencontrer quelqu'un sur Internet ? »

En rentrant du lycée, c'est tout juste si je ne compte pas chaque minute avant 20 heures. J'ai une douzaine de personnes présentes pour le débat. Elles utilisent toutes un pseudo et il est évident à leurs commentaires qu'elles ont lu tout le site à propos de Sierra. Les controverses et les opinions divergentes envahissent l'écran, mais presque tout le monde reste poli. Je n'ai à reprendre qu'une personne.

Maman arrive dans ma chambre et se tient derrière moi.

– Ça ne te dérange pas si je reste là et que je regarde ?

C'est la première fois depuis longtemps que j'entends de l'énergie dans sa voix.

– Pas du tout. Tu peux participer à la discussion si tu veux.

– Oh non, je vais juste rester en observatrice.

Maman n'a aucune confiance quand il s'agit de parler à des gens en ligne. Elle déteste ça, prétend que c'est antisocial et que les jeunes d'aujourd'hui ne savent pas comment communiquer correctement. Une fois qu'elle aura vu que c'est simplement une façon différente de parler, je suis sûre qu'elle comprendra : si, les jeunes communiquent. On communique face à face, mais aussi à distance, c'est tout. Elle pourrait même comprendre que c'est elle qui loupe quelque chose.

Elle lit chaque commentaire. Je laisse les autres contribuer en restant discrète. Lapinou estime qu'on peut rencontrer des mecs d'Internet à condition de les retrouver dans un endroit public et en journée. Sourire-épinard lui dit qu'elle est complètement folle. Chaque scénario proposé par Lapinou, Sourire-épinard le conteste.

– Je suis plutôt d'accord avec Sourire-épinard, dis-je à maman.

– Je comprends que Lapinou trouve ça sûr. On peut très bien rencontrer quelqu'un dans le train et échanger ses coordonnées. Ça arrive. J'ai bien rencontré ton père dans un pub, moi !

– J'avais oublié que tu l'avais ramené chez toi après l'avoir trouvé dans un pub !

– Je ne l'ai pas « ramené chez moi ». Je l'ai rencontré, dit-elle avec des airs de sainte-nitouche.

– C'est bon, maman. Vous vous êtes mariés, on s'en fiche qu'il soit venu chez toi tout de suite ou pas !

– Mais sérieusement, poursuit-elle, est-ce que rencontrer quelqu'un qu'on a connu sur Internet, c'est plus dangereux que ça ?

– Sans doute pas.

— J'imagine qu'il s'agit de risques calculés. On peut dissimuler beaucoup plus à distance que quand on se rencontre en personne. Son âge, par exemple.

— Tu ne veux pas te joindre à la conversation ? Tu pourrais l'écrire, ça.

Horrifiée à cette idée, elle secoue la tête et se relève.

— Je suis fière de toi. Regarde un peu ce que tu accomplis. C'est vraiment quelque chose.

Après m'avoir tapoté l'épaule, elle quitte ma chambre.

Le débat se poursuit pendant trois heures. Au maximum, nous avons jusqu'à vingt-six personnes en ligne, même si plus du double de ce chiffre a rédigé un commentaire à un moment ou un autre. Je poste mon dernier commentaire pour la nuit et laisse la conversation ouverte au cas où quelqu'un aurait une dernière chose à dire.

Je voudrais tous vous remercier pour vos contributions réfléchies et respectueuses. Je vais me déconnecter, mais je laisse la discussion ouverte. Je vous répondrai demain. Merci encore de passer du temps avec moi sur Risk.

J'ouvre mon compte Twitter, où je tweete le lien vers le blog.

Je reste réveillée jusqu'à une heure pas possible pour essayer de boucler quelques devoirs. Je prends du retard partout, mais le travail pour l'école ne me paraît pas aussi important que celui sur le site.

Je me réveille tard le lendemain matin, épuisée par le manque de sommeil et lourde de ne pas avoir assez bougé. Je n'ai pas le temps d'aller courir maintenant, mais j'irai après l'école. Maman est partie au boulot. La mère de Callum attend déjà dans l'allée... J'attrape mon sac, un élastique et je me précipite dehors sans prendre de petit déjeuner.

– Désolée, panne de réveil, dis-je en entrant dans la voiture.

– Tu es restée debout longtemps pour surveiller ? me demande la mère de Callum.

– Surveiller ?

Fatiguée, j'ai du mal à saisir ce qu'elle me dit. J'attache mes cheveux. Je dois avoir piètre allure.

– Votre site a fait le buzz cette nuit.

Je me redresse d'un coup.

– Pardon ?

– Maman, pas le buzz, intervient Callum. Désolé, elle ne connaît pas vraiment le sens du mot.

– Mais bien sûr que si !

– Ben, dans l'univers du net, cinq cents partages, c'est pas « le buzz ».

– Cinq cents ? (J'en crie presque.) Sérieux ? Incroyable, cinq cents ?

Callum se retourne vers moi.

– Tu n'as pas vu ?

– Non, je viens de me lever. Je n'ai pas eu le temps.

– Ah, fait-il avec un grand sourire. On a tout juste passé la barre des cinq cents. Mais ce n'est pas le buzz, décrète-t-il avec un regard vers sa mère.

Celle-ci secoue la tête, sans doute avec agacement.

– Avant tout, Facebook et Twitter, poursuit Callum. Facebook, ça ne compte pas vraiment, parce que pour la plupart, c'est des élèves de notre lycée, mais Twitter, par contre, si.

– Mais le but, ce n'est pas plutôt de faire passer le message aux lycéens ? demande la mère de Callum, irritée. Ce ne sont pas eux qui comptent le plus ?

– Ils ont partagé parce qu'ils nous connaissent, mais les retweets, ça vient d'autres internautes.

Elle nous laisse au portail. Dans toute la cantine, on parle du site et de son succès. Nous sommes pris d'assaut par des élèves qui nous félicitent et nous embrassent. Certaines des filles sont focalisées sur Callum. Elles lui disent même combien il est beau sans son appareil, alors que ça fait des lustres qu'il l'a enlevé. Il répond par des demi-sourires, de petits rires, et n'arrête pas de baisser les yeux. Régulièrement, il toussote avec embarras. J'affiche un sourire ferme et tiens le coup en rougissant.

M. Sam s'avance vers nous avec un large sourire.

– Félicitations, fait-il avec un petit gloussement avant de nous serrer la main. C'est impressionnant comme résultat, pour deux jours de mise en ligne. Très impressionnant. Vous devez être contents.

Nous le remercions et il se dirige vers la salle des profs.

Je cherche Riley du regard, mais ne l'aperçois nulle part. Rien d'inhabituel pendant une rupture. Elle vient, mais elle se cache, allez savoir où. Pourtant d'ordinaire, elle me prévient par SMS. Elle doit encore être fâchée contre moi. D'abord, il y a eu l'histoire de Callum, et puis je n'ai pas été très sympa quand elle a offert son aide pour le site.

Nous avons anglais en première heure. Riley est déjà assise à côté d'Izzy quand nous arrivons. J'essaie de croiser son regard, mais elle détourne le sien. J'envisage les événements de son point de vue. Elle apprend, mais pas par moi, que deux amis à elle se sont embrassés. Elle qui me raconte tout, je ne lui ai rien dit.

Il faut dire qu'au milieu de tout ça, il y a eu la disparition de Sierra, puis la découverte de son corps. La colère assombrit ma vision. Comment Riley peut-elle s'adonner à cette petite jalousie stupide en ce moment ? Comment peut-elle ne pas prendre cela en compte ? Sierra est morte. Morte, sérieux ! Qu'est-ce qui ne tourne pas rond chez Riley ? Je n'arrive pas à la regarder pendant le restant du cours ni à me concentrer sur les propos de la prof. Je n'entends rien. Je n'arrive à rien lire. Dans ma tête, les mots scandés se répètent : « Sierra est morte, Sierra est morte. »

Toute la matinée, ma colère contre Riley ne fait qu'augmenter. Je ne pense qu'au site et à Sierra. Les conversations que Sierra et moi avons eues, ses expressions, ses chouettes fringues venues du monde entier, ses chansons... Ah ça, elle passait son temps à chanter. Et à rire. Riley a toujours été super-méchante avec elle. Toujours. Je n'arrive pas à croire que je l'ai écoutée quand elle m'a dit que Sierra avait dû orchestrer sa propre disparition. Pourquoi ne l'ai-je pas défendue davantage ? Pourquoi n'ai-je pas cru en la Sierra que je connaissais ? Quel manque de loyauté !

Callum pose la main sur mon épaule.

– Tu vas bien ? me demande-t-il.

Je le dévisage. Comment ose-t-il se lancer dans une histoire avec moi, puis reculer ?

– Je me sens pas bien.

Il fronce les sourcils.

– Qu'est-ce qui se passe ?

– J'en sais rien. Je me sens pas bien, c'est tout.

Je ne peux pas mettre de mots sur ce que je ressens. Ça me paraît déplacé d'être heureuse que le site marche bien. Déplacé de penser à Callum tout le temps, en souhaitant être avec lui. Déplacé d'être dégueulasse avec Riley. Les émotions n'arrêtent pas de me submerger, mais mon cerveau leur signale que ce sont des choses sans importance comparé à ce qui est arrivé à Sierra.

Je ne sais pas ce que j'ai le droit d'éprouver.

Je me rends compte que j'ai envie d'aller voir Rachel. Je ne sais pas comment elle me recevra, mais j'ai besoin de la voir. Je veux qu'elle sache que le site a été mis en ligne, qu'elle regarde, qu'elle constate l'impact de Sierra sur d'autres personnes. Je crois que ça m'aide, et ça pourrait l'aider, elle aussi. Et j'ai vraiment besoin de son approbation.

À la sonnerie de la pause déjeuner, tout le monde sort de la classe et se dirige vers les casiers. Tout le monde, sauf Riley. Je regarde où elle va. Je la suis en direction de la salle des profs et quand elle prend une porte de sortie en courant à moitié. Elle se dirige vers la bibliothèque, mais bifurque à gauche, côté jardin. Vers le bureau de la psy ? La seule autre porte par là, c'est la salle d'arts plastiques, et je sais bien que ce n'est pas sa destination.

Riley a toujours été sceptique au sujet des psys. Quand j'en parlais après la mort de papa, elle gardait une expression neutre. Et si je sortais des formules qui avaient l'air recrachées d'un psy, elle me le faisait remarquer immédiatement.

« – Arrête de te la jouer vieux sage », me disait-elle.

Dans ce cas, je faisais semblant d'essayer de l'hypnotiser. Ensuite, elle jouait les deux rôles : l'hypnotiseur complètement fou et le patient qui se prend pour un poulet. Je riais comme une folle.

Je la laisse et me dirige vers la cantine. Si elle ne parle pas de ses visites, c'est qu'elle ne veut pas les partager.

En rentrant, je tombe sur Joel.

– Salut, Joel, tu as parlé à Riley ?

– Non, fait-il d'un ton énervé. Elle veut plus me voir.

Il entreprend de s'éloigner. Je suis submergée par le souvenir de Sierra qui danse dans ma chambre en chantant la chanson de Taylor Wolfe qui explique que quand c'est fini, il faut lâcher l'affaire.

– Tu crois qu'elle va bien ?

Il s'arrête, et je lui explique :

– À moi non plus, elle ne parle plus.

– Elle est jalouse, elle est trop chiante, dit-il avant de repartir.

– Oui, mais est-ce qu'elle va bien ?

Je le dis trop doucement pour qu'il entende. Ce n'est pas le bon moment pour avoir cette conversation.

Lors du cours suivant, le comportement de Riley m'inquiète encore plus. Elle garde les yeux baissés et triture ses mains. On dirait qu'elle vient de pleurer. Quand la sonnerie résonne, je vais la voir.

– Salut, Riley, tu veux discuter ?

Elle se raidit, les yeux fuyants.

– Pas vraiment, dit-elle d'un ton cassant avant de filer.

À la fin de la journée, Callum et moi traversons le terrain de foot. Sa mère nous attend.

– Je dois aller quelque part, lui dis-je. Je rentrerai chez moi toute seule aujourd'hui.

– Tu vas où ?

– Je dois juste aller voir quelqu'un.

Callum s'arrête, tout pâle.

– Qui ça ?

– Pardon ?

– Qui tu vas voir ?

– Qu'est-ce ça peut te faire ? (Alors, je comprends que Callum me croit prête à aller rencontrer quelqu'un que je ne connais pas, comme l'avait fait Sierra. Nous sommes tous sur les nerfs.) Rachel. Je vais voir Rachel.

Il hoche la tête et murmure un OK, puis se remet à respirer.

Je fais signe à sa mère de l'autre côté de la route, puis me dirige vers chez les Carson-Mills.

DIX-NEUF

Sur le pas de la porte, j'ai soudain la gorge serrée. Je m'apprête à frapper quand la porte s'ouvre. Dave sort furieux et manque de me renverser. Surpris de me voir là, il s'arrête et me regarde un instant. Il s'apprête à me dire quelque chose, mais finalement, il se dirige vers sa voiture garée dans l'allée. Il place un petit sac dans le coffre et Rachel s'avance sur le perron.

Je me suis écartée et elle ne m'a pas vue. Elle s'apprête à fermer la porte. Comme je suis arrivée au milieu d'une scène, je me sens encore plus gênée. Je devrais peut-être m'éclipser une fois qu'elle aura fermé la porte. Mais si Dave lui dit que j'étais là... Je fais un pas de côté et elle sursaute.

– Oh, Taylor. (Elle reprend contenance.) Je ne t'avais pas vue.

– Bonjour, Rachel, désolée, euh... je vois que ce n'est pas le bon moment, mais je voulais juste t'annoncer que le site au sujet de Sierra est en ligne. (Après avoir débité ces mots avec précipitation, je tire un morceau de papier de ma poche.) Voici l'adresse.

Elle regarde le papier, le prend, le lève à hauteur de mon visage et le roule en boule. Je recule.

– Tu étais censée être son amie, Taylor. Tu devais la soutenir, pas l'aider à se faire tuer.

Elle claque la porte. Je l'entends s'appuyer contre le battant, puis glisser à terre et pleurer à sanglots étouffés.

Et voilà, me dis-je en revenant sur mes pas, j'aurais dû partir quand j'en avais l'occasion. C'était une erreur de venir.

De retour chez moi, je m'allonge sur mon lit et regarde le plafond. J'entends maman rentrer, plus tard que d'habitude. Elle est sans doute passée chez Rachel. Elle s'assied à côté de moi et se met à l'aise.

– Tu vas bien ?

– Non, je réponds en me tournant sur le côté.

– Tu as bien agi, Taylor. Je sais qu'on a l'impression que tout est vain, mais ce que tu as fait aujourd'hui, c'était vraiment ce qu'il fallait. Je suis fière de toi.

– Rachel ne me pardonnera jamais.

– Je pense qu'elle a besoin de se pardonner d'abord, avant d'arriver à pardonner aux autres.

Je me sens complètement à plat. Le regain d'énergie que m'avait insufflé le site est envolé.

– Comment s'est passée ta journée ?

– Moyen. Je suis en retard sur le travail. J'ai promis au prof d'informatique de me rattraper.

– Tu as besoin d'aide ?

– Non. J'en sais rien. Je n'ai même pas regardé les lectures obligatoires.

– Dans ce cas, tu ferais mieux de t'y mettre. Je vais préparer le dîner.

– Maman ?

Elle s'arrête à la porte et se retourne.

– Comment était Rachel quand tu l'as vue ?

– Seule. Elle a viré David aujourd'hui.

– C'est ce que j'avais compris. Mais pourquoi ? Je veux dire, c'est pas maintenant plus que jamais qu'elle a besoin de lui ?

– Elle est dans une si grande détresse. Elle en veut à Dave, mais surtout à elle-même. Elle a l'impression d'avoir toujours mis Sierra de côté pour garder le rythme avec Dave, voyager, recevoir... Elle se dit que si elle s'était concentrée sur ses filles plutôt que sur le reste, ça ne serait jamais arrivé. On ne peut pas la réconforter. On peut seulement être là quand elle a besoin de nous.

Je n'arrive pas à imaginer que Rachel puisse avoir besoin de moi ou veuille me revoir un jour.

– Et Cassy ?

– Rachel a aussi eu une grosse dispute avec elle. Elle est partie avec David, le temps que ça se calme un peu.

– Est-ce que c'est prudent que Rachel reste seule comme ça ?

– Honnêtement, je ne sais pas ce qu'il faudrait à Rachel en ce moment, répond maman.

Je m'installe à mon bureau et je sors mes affaires de littérature. J'ai une rédaction que j'aurais dû rendre il y a longtemps, mais les profs m'ont accordé un délai sans que je leur demande rien, donc ça devrait aller. Un problème à la fois.

Je commence sur le thème de la crise.

Décrivez en 300 mots une crise que vous avez traversée.

Je pense à ma journée et à ma décision de rendre visite à Rachel. Est-ce qu'on peut considérer ça comme une crise ? C'est certainement une crise intérieure. Je relis les notes de la prof, les définitions pour différents types de crise. Je devrais peut-être parler de ma décision de parler ou non à maman du fait que Sierra n'était pas revenue. J'y repense jour et nuit, alors autant écrire à ce sujet...

Je me lance et les mots me viennent facilement. Ils sont honnêtes et sincères. Je ne me pose pas en martyre ni en démon. Je raconte comment ça s'est passé, et ça ne me prend qu'une demi-heure.

Ma crise : en parler ou pas ?

Quand mon amie Sierra m'a raconté qu'elle prévoyait de rencontrer un garçon qu'elle avait connu sur Internet, j'ai accepté de faire croire qu'elle venait chez moi. C'était une décision importante. Elle n'était pas autorisée à utiliser l'ordinateur, mais chez moi, elle a rencontré quelqu'un sur Mysterychat. Je savais que jamais sa mère ne la laisserait rencontrer quelqu'un qu'elle ne connaissait pas, et que si elle l'apprenait, j'en prendrais pour mon grade tout comme ma copine. Mais le garçon en question avait l'air gentil et drôle, et ils devaient se retrouver dans un endroit public. Le plan était que Sierra me rejoigne chez moi après son rendez-vous, et dorme là la nuit. Mais ensuite, elle m'a appelée pour m'annoncer qu'elle avait changé d'avis. Elle voulait passer la nuit avec ce garçon.

Au début, j'étais abasourdie, puis fâchée. J'allais avoir des problèmes à cause d'elle, pendant qu'elle, elle s'amusait. Elle a promis d'être là le lendemain matin, mais n'a pas reparu. J'étais furieuse. Elle avait joué exactement le même scénario à une amie commune. Sierra se fichait bien d'attirer des ennuis aux autres...

L'un de nos amis avait envie d'en parler aux parents, car il s'inquiétait sur son compte. J'ai rejeté l'idée, de peur des représailles. Sierra prenait du bon temps et elle rentrerait quand elle serait prête. Elle l'avait déjà fait avant.

Mais elle n'est pas revenue dans l'après-midi ni le surlendemain. Le dimanche après-midi, j'ai commencé à m'inquiéter moi aussi. D'un côté, je me disais qu'elle était peut-être toujours en train de s'amuser, mais de l'autre, s'il lui était arrivé quelque chose ? Devais-je en parler ou continuer à la couvrir ?

Voilà ma crise.

Je descends avec l'ordi pour montrer mon texte à maman et lui demander de me relire.

– C'est parfait. Rends-le tel quel.

Après le repas, nous débarrassons la table et bavardons quelques minutes. Je reprends mon ordi et me dirige vers ma chambre.

— Taylor, tu devrais envisager de publier ce texte sur ton blog.

— D'accord, je vais peut-être le faire. Merci.

Je le relis quelques fois de plus et modifie certaines phrases avant de l'envoyer à la prof. Elle sera contente que je fasse enfin quelque chose. J'ajoute un petit mot pour la remercier de m'avoir accordé un délai supplémentaire.

Ensuite, je me connecte à Risk. Mon cœur fait un bond quand je regarde les statistiques : deux mille visites en seulement quarante-huit heures. C'est incroyable ! Je passe à la carte pour constater que des gens sont venus voir depuis l'Australie, l'Angleterre, l'Amérique du Nord, l'Afrique, la Suède et la Nouvelle-Zélande. Estomaquée, j'appelle maman qui vient, le visage tendu.

— Regarde un peu, lui dis-je.

— Deux mille ? Qu'est-ce que ça veut dire exactement ?

— Que le site a été vu deux mille fois en quarante-huit heures.

Elle porte les mains à ses tempes, comme si elle avait du mal à assimiler cette information.

— Et attends d'ajouter ton nouveau billet de blog.

— Je vais le mettre en ligne maintenant.

Ça me prend environ vingt secondes. Je partage le lien sur les réseaux sociaux. Mes amis Facebook sautent dessus ; les commentaires, les partages et les likes commencent tout de suite. Sur mon mail, je constate que d'autres filles m'ont envoyé des photos de garçons rencontrés en ligne. J'ai toute une mosaïque de mecs qui sourient à l'appareil sur mon écran. Maman effleure la photo retouchée du soi-disant Jacob Jones en retenant ses larmes.

– Quel malade, dit-elle. Quand je pense qu'il est encore en liberté. Il pourrait être sur Internet en ce moment, en train de chatter avec une autre pauvre fille qui ne se doute de rien. Tu fais quelque chose de super, Taylor Gray. Vraiment.

Une fois maman partie, j'ouvre un autre mail.

Une fille trop bête qui a joué un jeu trop bête. Sérieux, à quoi s'attendait Sierra en courant retrouver un inconnu ?

Je relis le message, avec l'envie de répondre : « Tu n'as pas lu mon blog ? Elle a été piégée ! »

Je m'abstiens de réagir sous le coup de la colère. De toute façon, il y aura toujours des gens pour critiquer.

Je retourne aux statistiques : les chiffres augmentent rapidement.

Je reçois un message de M. Sam. La page galerie est activée et prête à recevoir des photos. Je publie les deux photos envoyées par Jacob Jones. Et s'il les voit ? Je devrais peut-être en parler à l'inspecteur Parkinson.

À ce moment, mon téléphone sonne : c'est Callum.

– Salut, dis-je.

– T'es dessus, là ?

– Oui, je peux pas déscotcher.

– Ce que tu as écrit, sur ta crise... c'était vraiment... super. Tu vas bien ?

– Pas vraiment, mais je fais aller. Je suis au fond du trou la plupart du temps, et puis j'ai de brefs moments où je ressens... d'autres trucs. Et là, je me sens coupable de ne pas être encore malheureuse.

Avec un rire soufflé, Callum répond :

– Je vois exactement ce que tu veux dire. Je crois qu'il faut vraiment que je lâche du lest. Que je prenne les choses comme elles viennent, sans analyser.

Un silence suit.

– Le site vient d'atteindre les trois mille visites ! s'exclame Callum. Ça fait mille en quoi, vingt minutes ? Pour le coup, on pourrait vraiment faire le buzz.

– Tu pourras laisser ta mère le dire.

Nous rions tous les deux.

– Sinon, j'essaie de rattraper le boulot pour les cours.

– Oui, comme promis à M. Sam. Ça fait encore un sujet de culpabilité.

– Je sais, mais on a dit qu'on essaierait.

– D'accord. Je te laisse, histoire qu'on puisse s'y mettre.

– OK, à plus. (Avant qu'il raccroche, je reprends.) Attends, Callum ?

– Oui ?

– La page galerie vient d'être mise en ligne. Jette un œil.

Nous raccrochons, et je regarde mon livre de maths. Il faut que je m'y remette, mais j'en suis au point où j'ai tellement manqué de cours que je ne comprends pas les leçons. Heureusement, la prof devait s'en douter, parce que j'ai droit à un cahier d'exercices pour l'accompagner, et bientôt, j'en suis à la moitié de la deuxième leçon à rattraper.

Je jette alors un œil sur le site. En ce moment même, huit cents personnes sont en train de le parcourir. On en est à trois mille cinq cents visites. Je m'enfonce dans mon siège. Les commentaires du blog sont magnifiques. Beaucoup de personnes avouent qu'elles pleurent en les rédigeant. La plupart d'entre eux disent que Sierra était très belle, expriment leur indignation et leur haine envers son assassin. Je ne trouve plus de commentaires qui la jugent.

J'ai reçu quelques e-mails supplémentaires. Beaucoup de félicitations, de condoléances ou de soutien. Mais l'un d'eux retient mon attention avec son titre : « *JE L'AI VU !* »

J'en ai le souffle coupé. Je regarde le message, signé Miffy.

Chère Risk,

J'ai reçu les mêmes photos de plage avec les abris pour bateaux de Brighton deux semaines avant la disparition de ton amie. J'ai rencontré le mec – il m'avait dit qu'il s'appelait Matthew Smith – au centre commercial de Greendale. On a bavardé un moment, et puis je suis allée aux toilettes. Quand je suis revenue, il n'était plus là. J'ai pleuré pendant trois jours. Maintenant, je crois que je vais vomir...

Je sais que je devrais en parler à la police, mais je n'en ai pas vraiment envie. J'ai très peur, surtout après avoir lu ton post sur l'anonymat en ligne. Ce mec sait sans doute où je vis... Et si j'en parle à la police et qu'il vient s'en prendre à moi ? Mes parents ne sont pas au courant, mais je voudrais quand même aider.

Dis-moi ce que je devrais faire, s'il te plaît.

Miffy

Le cœur battant, j'appelle :

– Ma... Maman ! Lis ça, lui dis-je quand elle apparaît à ma porte.

Je lui laisse mon siège et m'assieds au bord de mon lit. Je vois la chair de poule sur les bras de ma mère et elle pousse une exclamation.

– Il faut qu'on contacte la police. Est-ce que quelqu'un d'autre a accès à ce message ?

– Callum et M. Sam connaissent le mot de passe, mais il n'y a que moi qui suis allée regarder.

Elle se dirige vers la porte, revient chercher son téléphone, s'apprête à repartir, mais hésite encore.

– Il faut que je prenne la carte de l'inspecteur dans mon sac.

Les battements de mon cœur résonnent jusque dans mes oreilles. Maman revient, encore en train de triturer son téléphone et la carte. Elle compose le numéro et, d'une voix tremblante, bafouille ses réponses aux questions. Prise de nausée, les pensées confuses, je me concentre sur ma respiration. Nous aurions dû parler du site à la police. Maman raccroche et m'annonce :

– Ils arrivent.

Au rez-de-chaussée, nous laissons l'ordinateur en vue, puis attendons avec un chocolat chaud. Au bout d'une demi-heure, Kel Parkinson, l'inspecteur qui nous avait rendu nos affaires et qui a fait le discours au lycée, est là.

Il connecte mon ordinateur au sien et commence à pianoter. Il pose des questions sur le site et sur les informations qu'il divulgue, et me reproche de ne pas avoir informé la police de sa création. Sur la défensive, je réponds :

– Il n'y a que des informations déjà rapportées par les médias.

– Nous avons besoin d'y avoir un accès complet pour le surveiller, ajoute Kel Parkinson. Vos mails, tout.

J'acquiesce aussitôt.

– Si nous prenons contrôle du site, je vous tiendrai au courant. Dans ce cas, toi, Callum et M. Sam devrez rester en dehors du site.

– Mais pourquoi ?

– Si l'assassin de Sierra surveille votre site et que vous divulguez par accident une information malvenue, cela pourrait l'avertir. Avant d'avoir complètement creusé la piste, nous devons être sûrs que rien de ce genre ne se produise.

Les deux policiers répertorient tout ce qui se trouve sur le site : chaque mail, chaque photo. Visiblement, seul le message de Miffy retient leur attention.

Je leur note tous les mots de passe pour qu'ils puissent y accéder depuis leur lieu de travail. À partir de maintenant, notre site sera surveillé par la police vingt-quatre heures sur vingt-quatre.

– Nous allons contacter Miffy, ajoute Kel. Je vais me faire passer pour toi et lui envoyer un mail tout de suite.

Chère Miffy,

Merci d'avoir partagé ces informations avec moi. Je me doute qu'il t'a fallu beaucoup de courage. Tu disposes peut-être de renseignements précieux qui pourraient aider la police à identifier l'assassin de Sierra. Je dois donc les en informer. Je transmets ce message à la police avec ton adresse afin qu'elle te contacte très vite.

Taylor

Quand il appuie sur « envoyer », je me sens nerveuse. J'ai l'impression d'avoir trahi la confiance de Miffy.

— Ne la recontacte pas, m'avertit inspecteur. Il est très important que ces informations mènent à une arrestation. Or, les témoins ne doivent pas communiquer entre eux. C'est compris ?

— Oui.

Maman me presse la main. L'idée que Jacob Jones soit arrêté et mis en prison insuffle de l'adrénaline dans mes veines. Kel Parkinson me répète trois fois encore qu'il est très important que je ne contacte pas Miffy. Oui, j'ai compris. Non, je ne lui écrirai pas. Oui, je suis consciente que si une arrestation a lieu, les messages seront lus pendant l'audience.

Kel, les yeux brillants, a l'air satisfait. Cette information est une nouvelle piste. Inspirée par ce regain d'énergie, je m'autorise à espérer. L'anxiété qui s'est emparée de moi depuis la disparition de Sierra ne s'est pas éteinte. Le fait de retrouver son assassin ne la ramènera pas et ne rétablira pas l'équilibre du monde, mais pourra sans doute apporter de la satisfaction dans le mien. Je ferme les yeux et respire profondément.

Bientôt, Jacob Jones sera en prison.

VINGT

Le sommeil ne vient pas. Je tourne en rond dans la maison en pensant à Miffy et aux inspecteurs qui travaillent cette nuit à essayer de résoudre l'affaire Sierra. Trouver son assassin ne remplira pas le vide dans mon cœur, mais pourra adoucir ma peine. L'anxiété et la peur étreignent mon ventre. Et s'il sait que j'ai renseigné la police et s'en prend à moi ? À Miffy ? Il nous connaît toutes les deux. Il pourrait être devant notre maison en ce moment.

Maman aussi est debout. Je cours dans sa chambre en lui disant :

– J'ai peur !

Je lui raconte les scénarios que j'ai échafaudés.

– Il ne viendra jamais ici, Taylor. C'est un lâche qui repère de jeunes filles naïves dans des chatrooms. Il se cache.

Maman paraît sûre d'elle, mais ça doit lui avoir traversé l'esprit parce qu'elle ajoute :

– J'en ai parlé à la police. On m'a rassurée à ce sujet.

– Je me demande pourquoi il a laissé Miffy au centre commercial.

– Va savoir… Peut-être que Miffy n'était pas comme il s'y attendait. Peut-être qu'un geste de sa part l'a effrayé. On ne le saura peut-être jamais, même s'ils finissent par le trouver.

– Ils le trouveront. Je le sais. Ils nous appelleront demain.

Je me suis fait peur et je n'ai aucune envie de retourner dans ma chambre, alors je me mets au lit avec maman. Le sommeil refusant toujours de venir, je garde les yeux ouverts dans le noir. Maman ne dort pas non plus, je l'entends à sa respiration.

– Je dois me lever, je crois, chuchote-t-elle.

Je la suis, parce que je ne veux pas rester seule.

Dans le salon, nous buvons du chocolat chaud. Je me connecte à Risk : nous sommes arrivés à huit mille vues. Je manque de recracher mon chocolat à l'autre bout de la pièce. La mère de Callum va vraiment pouvoir affirmer qu'on fait le buzz ! Sierra serait très contente. Les commentaires faisant suite à mon post sur le blog s'étirent à l'infini. D'autres filles ont envoyé des photos de garçons qu'elles ont rencontrés sur le net. Je me rassieds plus confortablement dans le canapé.

– C'est Sierra, dis-je. Ce n'est pas à cause de moi mais de Sierra. C'est grâce à elle que tant de personnes viennent voir.

Je secoue la tête. Elle était tellement belle. La plupart du temps, quand je pense à elle, ça se termine par des larmes, et c'est le cas ce matin. J'en ai marre de pleurer chaque fois. C'est épuisant. Sa mort n'a aucun sens.

* * *

Maman me réveille en partant au travail. Je me suis endormie sur le canapé et elle m'a posé une couverture dessus.

– Ça ira pour aller au lycée ? me demande-t-elle.

Je me redresse d'un bond. Rester à la maison toute seule, c'est bien la dernière chose que j'ai envie de faire.

– Oui, j'y vais. Callum est là ?

– Non, il est encore tôt, mais tu vas pouvoir te préparer. Je croyais que tu continuerais à dormir.

J'ai l'impression d'avoir les paupières qui me grattent et les yeux gonflés – ou alors, c'est l'inverse. Je passe les doigts dans mes cheveux tout emmêlés.

Je me dirige vers la douche. C'est étrange d'avoir aussi longtemps pour me préparer. Remarque, il doit y avoir des filles qui se lèvent toujours aussi tôt avant le lycée, tellement elles ont l'air impeccables.

Mon uniforme n'est plus aussi serré, les boutons tirent moins. J'ai perdu du poids. Il me va mieux et je me sens mieux dedans. J'imagine comment les filles minces doivent se sentir tous les jours. Si j'étais comme elles, j'essaierais tous les vêtements qui passent. Je passerais d'un magasin à l'autre, j'enfilerais tout et je sortirais de la cabine en demandant : « Ça me va bien ? » Même si je sais que ça énerve les gens. Ça faisait partie des problèmes de Sierra. Pour nous, elle savait qu'elle était superbelle quoi qu'il arrive, donc elle recherchait des compliments et c'était énervant. Mais peut-être qu'elle avait vraiment besoin d'être rassurée. Je me sèche les cheveux que je relève bien haut sur ma tête pour former un chignon lâche. Mon visage paraît moins rond quand j'ai les cheveux en hauteur. J'entoure ma coiffure d'un élastique noir, puis j'applique une crème solaire teintée. Je trouve le fond de teint trop épais. Je mets un peu d'eye-liner, en m'assurant que ça reste discret. Sachant que même mes cheveux, je m'en occupe rarement, j'attirerais des regards surpris si je me ramenais avec des tonnes de maquillage. Je me regarde dans le miroir en pied et je me trouve bien. Je fais moins bouffie, en meilleure santé. Une fois en bas, je me fais un chocolat et je mange quelques fruits.

Je sors mon cahier d'exercices de maths pour faire des équations. Comme dit maman, chaque page est une victoire. La mère de Callum klaxonne dans l'allée, et je fourre tout à la hâte dans mon sac. Je les trouve tous les deux radieux, et ils m'applaudissent quand j'entre dans la voiture. Je rougis en croyant qu'ils ont remarqué que je m'étais fait belle aujourd'hui.

– Tu as vu ? demande Callum.

Déçue, je demande :

– Quoi ? Ils l'ont trouvé ?

Je pense alors à ce qui pourrait se passer.

Leur visage se rembrunit un peu, mais ils gardent le sourire.

– Non, le site, me précise Callum. Tu as vu le nombre de visites ce matin ?

Ma question a un peu gâché leur joie, ça ne paraît plus aussi important.

– Oh, désolée. Non, pas ce matin. Mais j'ai regardé assez tard dans la nuit, et ça montait vite.

– Presque quatorze mille vues.

– Quoi ? (Je n'y crois pas.) Quoi ? C'est pas vrai, Sierra serait trop contente !

Je bute sur le conditionnel.

Il nous est inutile de préciser combien c'est tragique que sa mort l'ait propulsée sous les projecteurs dont elle rêvait. La plupart des visiteurs sont d'Australie, mais elle est aussi regardée et aimée par des gens du monde entier, et elle n'est pas là pour en profiter.

Quand nous arrivons au lycée, je vois Riley qui nous attend à notre table habituelle. Je lui souris pour qu'elle sache que je suis toujours là si elle a besoin de parler, mais je ne vais pas m'asseoir. Je lui fais un signe pour lui montrer que je dois aller quelque part. Elle hoche la tête. Ça fait plaisir de la revoir.

Callum s'apprête à entrer dans la cantine, mais je l'entraîne en lui disant que je dois parler avec lui et M. Sam. À la salle des profs, je leur raconte l'histoire du message et des inspecteurs qui surveillent le site H24. M. Sam ouvre de grands yeux.

– On n'en espérait pas tant, dit-il.

– Je sais. Alors c'est très important de ne pas contacter Miffy, et si les inspecteurs nous annoncent qu'ils prennent le contrôle du site, nous n'avons pas le droit d'y toucher. Ça pourrait invalider les preuves et permettre au tueur de courir tranquille.

– Je n'en parlerai à personne. Je ne toucherai à rien, promet M. Sam d'un ton solennel.

Ensuite, il se racle la gorge cinq ou six fois. Il doit se sentir très important. Après tout, c'est lui qui a lancé la galerie hier soir, et c'est peut-être ce qui permettra d'attraper l'assassin.

Callum, pâle, ne dit pas grand-chose. Sa réaction ressemble plus à la mienne. L'idée que la police parvienne à arrêter Jacob Jones est énorme. Terrifiante.

Je rattrape Riley à la récréation, et nous marchons ensemble. Elle est silencieuse et distante, mais a l'air de supporter de nouveau ma présence.

– Comment ça va ?

Elle regarde le terrain de foot et se mord la lèvre. Ce n'est pas l'endroit pour en parler.

– Tu veux venir après les cours ?

– D'accord, je dirai à ma mère de m'amener.

– Tu as reparlé à Joel ?

– Non, répond-elle sans plus d'explications.

Quand Riley est contrariée à propos de quelque chose, c'est difficile de lui arracher un mot. En tout cas, au début. Une fois qu'elle se décide enfin à parler, c'est tout à fait l'inverse : on ne peut plus l'arrêter.

– Taylor ! (Izzy arrive avec un groupe de filles. Elle m'étreint et parle à toute vitesse.) Sierra serait tellement fière. Tout le lycée parle de Risk. C'est hallucinant !

D'un coup d'œil, je vois que Riley s'éloigne.

– Les filles de troisième étaient en larmes toute la matinée, poursuit Izzy. Mais il y a quelques personnes qui disent des trucs méchants sur Sierra. Comme si c'était sa faute.

– Je sais, j'y ai eu droit aussi. Essaie de ne pas écouter.

Malgré mes propres conseils, je me sens bouillir. Je regarde autour de moi, mais Riley est carrément partie. Je me demande si elle viendra quand même tout à l'heure.

– Taylor, me dit soudain M. Sam, le proviseur veut vous voir, toi et Callum.

Les pensées se bousculent dans ma tête, et je me demande si la création du site a enfreint une règle ou une autre.

Dans le bureau de M. Williams, Callum et moi nous asseyons sur les chaises prévues pour les visiteurs. Le proviseur nous sourit. Je ne dois lui parler que trois fois par an. Il a une incisive un peu de biais, et je ne peux m'empêcher de la fixer.

– Cela n'amoindrit en rien la tragédie du décès de Sierra, mais je tiens à vous féliciter tous les deux pour votre site web. Je l'ai parcouru et je suis très impressionné par son professionnalisme. Vos articles sont respectueux, clairvoyants et ont touché beaucoup de cœurs.

Callum et moi nous tortillons sur nos sièges, mal à l'aise.

– Merci, Monsieur Williams.

– Le lycée a été chamboulé par la disparition et la mort de Sierra. Beaucoup d'élèves et de professeurs ont manqué des cours. C'est bouleversant pour tout le monde. Je me demandais si vous voudriez bien, lors du prochain rassemblement, vous adresser à tous vos camarades pour leur raconter ce que vous faites en l'honneur de Sierra, et leur exposer le but de votre site ? Tout le monde est très intéressé par ce que vous avez à dire et il est possible que ça aide certains élèves à digérer ce qui s'est passé.

Callum est pétrifié sur son fauteuil. Il a la phobie de parler en public, donc c'est comme si on lui demandait de jongler avec ses propres yeux. Les phalanges raidies, il agrippe l'accoudoir. Je réponds :

– D'accord, si Callum m'aide à préparer le discours, je veux bien parler.

Je me fiche que Callum m'aide, mais c'est pour ne pas le dévaloriser ; ça paraît normal qu'un seul de nous deux prenne la parole.

– Non, j'interviendrai aussi, objecte Callum. C'est important, explique-t-il en me regardant. Je veux le faire.

– Parfait, conclut le proviseur.

Callum souffle un bon coup et s'agite dans son siège. J'espère que d'ici lundi matin, au prochain rassemblement, nous pourrons dire à tout le lycée que l'assassin de Sierra a été arrêté. Ce sera le cas, j'en suis sûre !

* * *

J'ai gardé mon nouveau téléphone dans ma poche et je n'arrête pas de regarder si maman m'a envoyé des nouvelles. La prof d'anglais, Mme Duerden, me demande de le ranger, mais comme elle est sympa, elle ne me le confisque pas. Arrivée à la fin de la journée, je suis frustrée de n'avoir rien reçu. Les inspecteurs ont sûrement parlé à Miffy maintenant, et récolté des indices intéressants. Elle a rencontré le tueur, l'a vu de près. Elle a dû aider à élaborer un portrait-robot et regarder des photos de criminels. Elle a pu leur donner sa façon de s'exprimer, leur décrire ses vêtements. Peut-être même qu'ils trouveront des vidéos. Les grands centres commerciaux ont des caméras de sécurité partout.

Chez moi, je suis à la cuisine en attendant Riley quand maman entre dans le garage avec la voiture. Je la retrouve à la porte.

– Tu as eu des nouvelles ?

Elle fait signe que non.

– Je reviens juste de chez Rachel. La police la tient au courant des pistes, donc elle a tout de suite su pour Miffy. Je pense qu'elle n'a pas dormi de la nuit.

S'ils ont averti Rachel, c'est signe que c'est une bonne piste. Ils doivent être près de l'attraper.

Je lance mon ordi pour regarder le site. Je fais le tour des commentaires et réponds à certains.

J'appelle Riley, sans obtenir de réponse. Je téléphone à Callum et l'informe que l'assassin n'a pas été retrouvé pour l'instant. Il est aussi déçu que moi.

– Tu as des idées pour ton prochain post ? demande-t-il.

– Je sais pas. Pour l'instant, je n'ai rien écrit d'autre.

– Ça ne te dérange pas si j'en publie un ?

– Non, au contraire !

J'ai répondu avec un petit peu trop d'enthousiasme. Je savais qu'il comptait en rédiger aussi, alors je n'ai aucune raison d'être décontenancée. Même si j'ai envie de savoir quel thème il va aborder, je ne lui pose pas la question. S'il a quelque chose à dire, il devrait en avoir le droit.

– Je te l'envoie maintenant.

– Tu l'as déjà écrit ?

– Oui, tu me diras ce que tu en penses.

Après avoir raccroché, je passe à mes mails privés et j'attends celui de Callum, que j'ouvre dès son arrivée.

J'étais avec Taylor au moment où elle a reçu le dernier coup de fil de Sierra. J'ai aussitôt eu un mauvais pressentiment à l'idée qu'elle passe la nuit avec ce nouveau mec. J'ai choisi de ne pas en tenir compte. Pourquoi ? Parce que quelques semaines plus tôt, une rumeur a couru à propos de Sierra et moi. Pour ceux qui y avaient cru, mon inquiétude allait simplement me faire paraître jaloux. Je ne voulais pas qu'on se moque de moi et je préférais éviter d'attirer l'attention.

Alors je n'ai rien dit.

Le lendemain, j'ai appris que Sierra n'était pas revenue. Même s'il lui était arrivé de jouer le même sketch auparavant, cette impression que quelque chose clochait était très présente. Mais les personnes les plus proches d'elle n'avaient pas la même, alors je n'ai rien dit. Je n'ai pas alerté la mère de Sierra. Je n'ai pas prévenu la police. Je savais qu'elle n'était pas de retour comme prévu, mais je n'ai pas agi. Aurais-je pu la sauver ? Je ne sais pas. Je ne saurai jamais.

Maintenant, je vis avec le remords et la culpabilité. Je pleure mon amie et je regrette de ne pas pouvoir revenir à ce vendredi soir, pour agir comme me le soufflait mon instinct. Peut-être que si je lui avais parlé, j'aurais réussi à la convaincre de revenir, et à l'heure actuelle, je subirais seulement quelques piques à propos d'un amour imaginaire, plutôt que ce deuil horrible et cette culpabilité.

Callum et moi n'avons jamais parlé de ça et cette lecture me fait pleurer. J'ajoute le titre : *Je n'ai rien dit*. Je tape à travers mes larmes, dis à Callum que je le trouve magnifique et j'ajoute quelques questions en bas du post pour diriger la discussion.

Vous est-il déjà arrivé d'ignorer un pressentiment ? Avez-vous déjà regretté de ne pas l'avoir suivi ? Comment savez-vous quand vous laisser guider par votre sixième sens et quand passer outre ? Quand devrions-nous parler pour protéger nos amis ?

J'envoie les questions à Callum pour lui demander son approbation, qu'il me donne. Je ne sais pas si je devrais lui téléphoner pour parler ou attendre un peu. Je ferme les yeux... Je me décide à l'appeler.

Il ne répond pas.

Pas grave, c'est lui qui voit.

Je trouve une photo de Sierra et moi. Nous sommes dehors et un rayon de soleil passe au-dessus de ma tête pour illuminer le visage de Sierra. Je me couvre la bouche de la main pour chuchoter à son oreille. Elle a l'air heureuse, parfaite et rit à ce que je lui dis. C'était Riley qui prenait la photo et je me souviens de ce moment. J'étais en train de dire à Sierra que Riley et Joel s'aimaient bien. Riley m'avait avertie de ne pas en parler à voix haute. C'était il y a deux ans. Je souris à ce souvenir. Tout le monde savait que Riley et Joel avaient des sentiments l'un pour l'autre. Ce n'était pas un secret. Même en essayant, ils n'auraient pas réussi à le cacher.

J'ajoute cette photo pour accompagner le texte de Callum, je partage l'article sur les réseaux sociaux, puis regarde le nombre de visiteurs. Les gens sont déjà en train de lire.

Je suis aux anges. Et triste. C'est un mélange curieux. J'aimerais que Sierra soit là pour voir ça.

Je vais attendre que l'assassin soit arrêté avant de publier un nouveau post. Je suis sûre que ce sera la prochaine nouvelle.

VINGT ET UN

Mon envie de justice occulte tout le reste. Tout le week-end, je surveille ma mère, ne voulant pas être ailleurs au moment où elle recevra l'appel de la police. Tout le week-end, rien.

Lundi matin, avant le rassemblement, je prends encore une fois M. Sam et Callum à part, mais j'ai du mal à me concentrer sur ce que je dis. Je suis sûre que ma déception est palpable. Elle me pèse dessus.

– Des lycées des environs m'ont contactée pour me demander si j'aimerais venir parler de mon blog. Je crois que ça me plairait. On pourrait atteindre plus de monde. On devrait peut-être ajouter une page au site avec des informations pour des interventions, au cas où d'autres lycées voudraient en savoir plus au sujet de Sierra et de Risk.

– Je peux la mettre au point, propose aussitôt Callum.

Tout à coup, je suis vraiment contente à l'idée de raconter à tant de personnes l'histoire de Sierra. Je demande à M. Sam :

– On a eu quelques conférences à l'école l'année dernière, comment ont-elles été organisées ?

– J'imagine que ce doit être une agence qui s'occupe de ça pour les conférenciers. Mais tu devrais peut-être attendre et voir ce que tu penses après aujourd'hui. Vous êtes prêts ?

Callum est très taciturne ce matin. Je sais qu'il est terrifié à l'idée de prendre la parole tout à l'heure. Je l'admire de le faire quand même.

– Oui, tout est au point, dis-je.

À la sonnerie, nous nous dispersons tous. Le dernier rassemblement a eu lieu pour annoncer à tout le monde la mort de Sierra. Je suis écœurée de ne pas pouvoir annoncer aujourd'hui que l'assassin a été retrouvé.

L'assistance me regarde en silence. Callum se tient sur le côté de l'estrade, prêt à commencer son discours après moi. La nervosité me comprime l'estomac, mais j'arrive à me décontracter en respirant profondément. Je vais parler de quelque chose qui me tient très à cœur. Je vais assurer.

M. Williams me présente à tout le lycée. Tous les yeux me suivent pendant que je traverse l'estrade, m'empare du micro et me place derrière un bureau. J'y ai préparé mon ordinateur avec un topo destiné à tous.

— Bonjour à tous, élèves, professeurs et invités. Je m'appelle Taylor Gray et on m'a demandé de vous parler de notre site, créé en l'honneur de mon amie Sierra Carson-Mills.

Des murmures parcourent l'assistance.

— À l'heure qu'il est, vous savez tous comment Sierra a rencontré son meurtrier...

Ma voix s'étrangle. Un silence de mort règne dans la salle. Je la parcours du regard, repensant aux mails désagréables que j'ai reçus et à Izzy qui me parlait des détracteurs de Sierra. Les mots « en l'honneur de mon amie » résonnent dans ma tête. Je m'éloigne du bureau.

— En fait... j'avais préparé un discours sur notre site, les dangers des rencontres sur Internet, et les prédateurs en ligne, mais... euh... je crois que je vais vous parler d'autre chose.

Quelques rires détendent l'atmosphère, et j'esquisse un sourire contraint.

— J'ai chatté avec des amis des milliers de fois. Il m'est rarement arrivé de parler à des inconnus en ligne, et je n'ai jamais rencontré personne de cette façon. Mais je connais beaucoup de filles – et de garçons, d'ailleurs – qui l'ont fait. J'ai même entendu parler de gens plus âgés qui se mariaient après s'être rencontrés sur Internet. Ça se fait, et la plupart du temps, tout se passe bien.

Je jette un coup d'œil vers le proviseur, qui doit se demander où je veux en venir.

— Des personnes présentes ici ont émis des jugements désagréables sur Sierra. C'est sans doute plus facile de la critiquer. Peut-être que si c'était sa faute, si elle avait fait quelque chose de mal, ce serait plus facile d'expliquer ce qui s'est passé.

Mais la cruelle vérité, c'est que ce qui lui est arrivé aurait pu arriver à n'importe lequel d'entre nous. Elle n'a rien fait de plus que tous ceux qui ont déjà trouvé quelqu'un sur Internet et fait la démarche de rencontrer cette personne dans la vraie vie. La seule différence, c'est qu'elle, elle a rencontré un assassin.

Quelques exclamations choquées se font entendre. J'espère que je me fais bien comprendre. Je regarde quelques visages dans la foule et je sais que je dois continuer.

– Comment Sierra aurait-elle pu savoir qu'il allait... ? (Je retiens des larmes.) Qu'il allait faire ce qu'il a fait ?

Je secoue la tête, dégoûtée, et m'octroie une petite pause. Les yeux baissés, je me déplace sur l'estrade. Il me faut taper juste en exprimant ce que je m'apprête à dire. Sierra m'a défendue courageusement tant de fois ! Maintenant, je dois faire la même chose pour elle. Je fais face à tout le lycée et je hausse un peu le ton afin de parler d'une voix forte et claire :

– Sierra est tombée amoureuse de lui. Ça n'a pris que quelques heures. Ridicule, je sais. Comment peut-on tomber amoureux après seulement quelques messages ? Plutôt que de dire que Sierra a été naïve, désespérée ou bête, ce que j'ai entendu, pensez à la démarche de son assassin. Il a calculé chaque étape. Il est allé regarder les comptes de Sierra sur les réseaux sociaux pour pouvoir feindre d'avoir les mêmes centres d'intérêt qu'elle, pour qu'elle croie à son personnage, pour la faire tomber amoureuse de lui. Il a été extrêmement rusé pour lui faire avaler qu'il était le garçon parfait pour elle. Je le sais mieux que personne...

Tous les yeux sont rivés sur moi. Avec un nouvel accès de nervosité, j'avoue à tout le lycée :

– Parce que moi aussi, j'étais tombée amoureuse de lui.

Des remous se font dans l'assemblée. J'élève encore la voix pour me faire entendre et réclamer leur attention.

– J'ai chatté avec le même mec, et en quelques heures, je me suis fait avoir par sa même supercherie. Avec le recul, je me trouve ridicule. Mais sur le moment, mes sentiments étaient réels.

Les joues en feu, j'essaie de retenir mes larmes, mais elles coulent sur mon visage. Je les essuie, et vois que deux filles au premier rang se tamponnent les yeux.

– Au bout de quelques heures de chat avec le meurtrier de Sierra, j'étais amoureuse de lui et j'aurais sauté sur l'occasion de le rencontrer. Mais en fait, il a choisi Sierra. (Ma voix s'altère.) Voilà pourquoi c'est moi qui suis devant vous aujourd'hui... et pas Sierra.

Ces derniers mots, je les prononce dans un souffle. Si je veux arriver à terminer, je dois me reprendre. Je détourne le regard et me dirige de nouveau vers le bureau. Je touche le pavé tactile de mon ordinateur pour faire apparaître ma page web.

– Pour honorer la mémoire de Sierra, j'ai créé un site appelé Risk. Si ça vous intéresse, allez regarder, participez à des discussions et partagez le lien avec vos amis.

Tout le monde regarde la page d'accueil projetée sur le grand écran au mur. Les feuilles colorées tombent et atterrissent pour se transformer en photos. Je cherche Callum du regard. C'est à son tour, il doit parler des serveurs proxy. Mais il n'est plus sur l'estrade. Je le vois sortir par une porte de côté. Il était déjà hyper-anxieux... Je n'aurais pas dû changer de discours à la dernière minute.

Tout à coup, je panique à l'idée de remplacer Callum, pour une partie à laquelle je ne suis pas préparée. Je me défile et ouvre le clip de Taylor Wolfe, *Bad from day one*.

Tout le monde discerne la ressemblance entre elle et Sierra, ainsi que l'adéquation des paroles à la situation. C'est surnaturel, flippant, et à la fin, peu de personnes ont les yeux secs dans la salle.

Je ne comptais pas forcément faire pleurer tout le monde comme ça. Peut-être la chanson était-elle de trop.

Après la fin, Riley vient m'embrasser, les yeux rouges et gonflés. C'était la seule à déjà connaître mon histoire.

– Désolée de ne pas être venue l'autre fois, me souffle-t-elle. J'ai des trucs à régler.

– On en est tous là, je réponds en souriant.

Mon intention était qu'elle ne se sente pas seule, mais à son expression blessée, je comprends que ce n'est pas cette remarque qu'elle attendait. Nous sommes entourés de trop de monde pour approfondir la question, et elle disparaît, engloutie par la foule, lorsque des élèves viennent me parler. Il faudra que je la retrouve tout à l'heure.

Je cherche Callum, pour m'excuser d'avoir modifié mon discours, mais comme Riley, il a l'air de vouloir éviter le contact.

À l'heure du déjeuner, je retrouve Riley dehors, seule.

– Salut.

Il y a déjà un malaise entre nous.

– Salut.

– Comment tu te sens ?

Riley me regarde comme si c'était une question piège. Je baisse les yeux avant d'ajouter :

– Je suis désolée pour l'autre jour, quand j'ai dit que tu n'aimais pas Sierra.

Riley hoche la tête sans répondre.

– Tu vas bien ?

– Parfois. J'ai des hauts et des bas. Tout a changé, et tout le monde, aussi...

– Je vois ce que tu veux dire.

Elle me considère d'un œil sceptique.

– Tu vois encore Callum tous les jours ?

– Il m'aide avec le site. (Comme mon ton est un peu sec, je le radoucis.) Alors, qu'est-ce qu'il t'a raconté... sur nous ?

– À moi, rien. C'est à Joel qu'il a dit que vous vous étiez embrassés.

Cette discussion ne mène à rien, alors je décide d'aborder un sujet un peu plus positif.

– J'ai reçu quelques demandes des autres lycées pour venir parler de ce qui s'est passé.

Riley n'a pas l'air de savoir comment réagir.

– Du coup, à la pause, j'ai cherché des agences pour conférenciers et j'ai envoyé une demande. Winston & Zeal Agency. Tu imagines, avoir un agent ?

Riley me regarde comme si j'étais une extra-terrestre. Je l'ignore et sors mon téléphone pour vérifier mes mails. J'en ai reçu un de Mila Park, de chez W&Z.

– Ça alors, Riley, ils m'ont recontactée ! (Je crie, je rougis et je fais des bonds sur place.) Il faut que j'y aille. Je vais à la salle d'informatique pour répondre.

Riley réagit par un haussement d'épaules exagéré et lève les sourcils, du genre « m'en fiche ». Sans en tenir compte, je me dirige vers le bâtiment principal.

J'ouvre le mail de Mila Park, qui contient des informations générales et des liens vers le site. Il est professionnel et encourageant. Son message est très positif, comme si elle envisageait vraiment de me représenter. Cette idée me plaît beaucoup. Sierra trouverait ça top glamour ! Je n'en ai pas encore parlé à maman, mais je suis sûre qu'elle serait d'accord. Mila Park. On dirait un nom de lieu. Mila Park. Je répète son nom dans ma tête. J'ai un agent, elle s'appelle Mila Park. Adressez-vous à mon agent. Je ris toute seule à l'idée de prononcer un jour ces mots. Mais au fin fond de moi, une touche de culpabilité me taraude. Je sais que je ne devrais pas être aussi excitée à cette perspective. Je ne devrais pas apprécier d'être populaire, parce que les raisons sont tellement affreuses... Et pourtant, je suis contente. Je suis fière de mon site, alors je n'écoute pas mes sentiments négatifs. Je pourrais y ajouter la mention : « Pour programmer des conférences, veuillez contacter Mila Park, de chez Winston & Zeal. » Je ris encore intérieurement.

Il ne me reste que cinq minutes de pause pour courir partout afin de trouver Callum et lui annoncer la nouvelle. Quand enfin je le trouve à son casier, ça sonne déjà. Le couloir est bondé et je dois jouer des coudes pour l'atteindre. J'ai envie de m'excuser, mais avec tout le monde autour, je suis gênée et je décide de remettre cette conversation à plus tard.

– Callum, devine quoi !

– Quoi ? fait-il, les yeux furieux.

– J'ai contacté une agence qui a répondu ! dis-je en sautant sur place. Je vais peut-être avoir un agent ! Ou plutôt, *on* va peut-être avoir un agent ! Tu y crois, toi ? Enfin, il faut qu'on ait l'autorisation d'abord, mais je suis sûre que nos parents seront d'accord.

– C'est génial, Taylor, répond-il en claquant la porte de son casier.

– Qu'est-ce que tu as ?

– Rien.

– Callum !

Nous nous regardons quelques secondes. Mon estomac se serre.

– Je ne veux pas intervenir en public. Tu pourras te débrouiller toute seule.

– Comment ? Je sais que je n'aurais pas dû modifier mon discours à la dernière minute comme ça. Je suis désolée. C'est juste qu'avec tout le reste. Je... une fois que j'y étais, ça m'a paru...

Il s'éloigne.

– Callum, attends ! Je suis désolée, je t'ai dit !

Il s'arrête pour me regarder dans les yeux, secoue la tête d'un air dépité et s'en va. Je reste là à le regarder partir. Je n'arrive pas à croire qu'il m'en veuille autant. J'aperçois Riley à l'autre bout du couloir et m'avance vers elle, mais elle détourne les yeux sans m'attendre.

Callum se montre bougon le restant de la journée et Riley garde de nouveau ses distances. Je n'y comprends rien. C'est le premier jour où mon moral remonte un peu. Sierra serait ravie à l'idée que j'aie un agent.

À la fin de la journée, je traverse le terrain ovale toute seule. Callum est parti devant. Il sait que je suis là, mais ne m'attend pas. Il s'arrête devant la voiture de sa mère et m'annonce quand je m'approche :

– À partir de demain, je vais sans doute retourner à l'école à vélo.

– Ah bon.

Il se détourne et s'affale sur le siège passager. Il ne décroche pas un mot de tout le trajet, et quand nous arrivons devant chez moi, je dis à sa mère :

– Merci beaucoup pour les allers-retours. Demain, j'ai quelque chose de prévu et je me débrouillerai toute seule.

– D'accord, Taylor. À la prochaine, me dit-elle d'une voix enjouée.

– Au revoir. À bientôt, Callum.

Il me répond en grognant. Je sors, désemparée.

Je regrette d'avoir modifié mon discours. Je me sens nulle. Je savais qu'il détestait déjà l'idée de lire un texte préparé, alors improviser... Quoique, il aurait pu faire exactement le discours qu'il avait prévu. Pourquoi était-il aussi en colère de cet épisode ? Je repasse la journée dans ma tête. Avec M. Sam ce matin, il parlait peu. Je mets ça sur le compte de deux choses : le fait que l'assassin de Sierra coure toujours et son inquiétude à l'idée de s'exprimer devant tout le lycée. Suis-je complètement à côté de la plaque ? C'est peut-être quelque chose que j'ai dit ? Mon discours était sans doute trop chargé d'émotion. Ou alors, il s'agit d'autre chose, comme le succès du site. Moi aussi, ça me dépasse que Risk prenne un tel essor...

J'aimerais qu'il m'explique où est son problème. Tout est tellement compliqué depuis la mort de Sierra. Je ne sais pas à quel saint me vouer, et je ne sais plus comment m'y prendre avec Callum ni Riley.

Je me connecte à Risk, je lis des mails, je réponds à certains et je lance un sujet de discussion :

Mélanges d'émotions : quand tout le monde autour de vous est en deuil, quelles précautions prendre ?

Comment savoir démêler les ressentis, que faire et que dire ?

Les réactions sont immédiates : les gens expriment leur opinion et racontent leurs propres histoires de deuil. Certains ont perdu des amis qui se sont suicidés, d'autres des proches dans des accidents de voiture ou des maladies. Le monde connaît beaucoup de deuils et certains des jeunes ont des avis éclairants à partager.

Je parcours de nouveau mes mails. Les filles ont commencé à envoyer des photos de garçons qu'elles n'ont pas encore rencontrés. C'est sans doute dans l'idée « au cas où » : si jamais je viens à disparaître, vous avez cette photo. J'examine chaque image, que je sauvegarde.

J'en ai une trentaine d'enregistrées pour l'instant. Collectivement, c'est embarrassant : des mecs, surtout en train de se balader sur la plage, de rire, qui essaient de paraître sympas. J'en vois un à vélo, un autre en kayak. L'un d'eux a envoyé une photo de police. Il tient une ardoise devant lui avec son nom et un nombre en dessous. Sur ses doigts, des tatouages verts annoncent AMOUR sur une main et HAINE sur l'autre. Et puis sous les chiffres de l'ardoise, je vois les lettres LOL : c'est un faux. Je souris à la blague et je me demande s'il y a une part de vérité dans cette photo. Peut-être est-il vraiment allé en prison et ne veut-il pas cacher ce fait. Dans ce cas, c'est peut-être lui le seul à ne pas dissimuler quelque chose.

Chaque fille a joint un message qui me rappelle Sierra :

C'est comme si on se connaissait depuis toujours.

Je crois qu'on a déjà été ensemble dans une autre vie.

Je n'arrive pas à croire qu'on se connaisse déjà si bien alors qu'on vient juste de se rencontrer.

C'était mon sentiment au sujet de Jacob. Tout ça me rend malade. Est-ce que ces filles sont toutes en train de se faire piéger par des prédateurs ? Je deviens parano.

L'une des internautes, Fliss, est en extase à propos de son mec. Sur sa photo, on le voit de loin, mais il a l'air mignon. Il marche sur la plage, en t-shirt blanc, le jean remonté à mi-mollet. Derrière lui, le ciel d'orage est magnifique. Cette plage me rappelle quelque chose. Je regarde le paysage, mais je n'arrive pas à retrouver où elle se situe.

Je lis plusieurs fois le message de Fliss, qui me rappelle encore Sierra.

OMFG !!! Il est parfait, ce mec ! Je crois que je suis amoureuse ! On se retrouve vendredi après-midi à la marina de Sainte-Kilda. Trop trop hâte d'y être !!!!!

Ça me rappelle vraiment le « jour J ». Je ne peux pas m'empêcher de penser à Sierra assise en cours à côté de moi, intarissable sur le sujet. Le mail de Fliss ressemble exactement à ce qu'elle aurait pu écrire. Et malheureusement, je m'y reconnais aussi, complètement folle de Jacob Jones.

J'ai envie de répondre : ne fais pas ça, Fliss. Tu ne le connais pas.

Mais je sais que tous les garçons ne sont pas méchants.

Salut, Fliss, merci d'avoir partagé. Bonne chance !
Bises, Taylor.

On frappe à ma porte. C'est Callum, et mon cœur s'affole.

– Salut, dis-je en le laissant entrer.

– J'ai lu ton thème de discussion.

– Ah.

J'essaie d'évaluer s'il est en colère.

– Pourquoi tu ne m'as pas demandé, tout simplement ? Tu n'as pas besoin de faire un post public pour chaque problème que tu as.

Il respire vite, il descend juste de vélo.

– Tu veux boire quelque chose ?

– Pourquoi tu fais ça, Taylor ?

Je me tourne vers lui sans trop savoir de quoi il parle.

– C'est-à-dire ?

Il lève les yeux au ciel.

– Tu détournes toujours la conversation pour éviter les conflits.

C'est vrai, j'ai horreur de ça. Je ne fonce jamais droit à la confrontation. Les mots m'échappent. Je reste au beau milieu de la cuisine sans savoir que répondre.

– Visiblement, reprend Callum, tu veux savoir ce qui ne va pas.

– Je t'ai demandé tout à l'heure. Tu n'as rien dit. Qu'est-ce que tu veux que je fasse ? Si je te pose dix fois la même question, c'est insupportable, et je n'ai pas envie de l'être.

Il se passe la main dans les cheveux.

– C'est impossible de rester en colère contre toi. Rien que ça, c'est horripilant.

Je le regarde. Il y a quelque chose de différent chez lui. Il s'affirme de nouveau. Il ressemble davantage à ce qu'il était avant la disparition de Sierra. J'aime bien ce Callum.

– Alors parle-moi. Je suis juste devant toi. Ne m'oblige pas à deviner.

– Jacob Jones.

Il prononce ce pseudonyme comme il enverrait un coup de poing. Je recule d'un pas et m'adosse au plan de travail. Je me déplace jusqu'à trouver un tabouret pour m'y asseoir. J'attends qu'il poursuive.

– Tu ne m'avais jamais dit que tu étais tombée amoureuse de lui. Tu voulais le rencontrer, et si tu en avais eu l'occasion, tu y serais allée. Tu ne m'as jamais rien dit. J'apprends ça devant tout le lycée.

Callum est tout rouge. Je déglutis avec difficulté. Tout à coup, j'ai la gorge sèche et serrée. Je n'arrive pas à croire que j'aie autant manqué de tact.

– Je voulais juste montrer que Sierra n'était pas la seule. Qu'elle n'était pas si bête, qu'elle a commis une erreur que n'importe qui aurait pu faire à sa place. Je voulais qu'elle reste crédible. Les gens disaient des trucs horribles sur elle. Elle avait la réputation d'être un peu fantasque, et c'est pas mon cas. Si ç'avait été moi... C'est terrible, mais les gens auraient été davantage surpris. Je voulais montrer...

Je n'arrive pas à terminer.

– Taylor, qu'est-ce que ça signifie pour nous ?

J'aime bien entendre ce nous. Je regarde ses lèvres se joindre, leur forme parfaite. Je ne peux pas m'arrêter de les regarder. Ses cheveux... je les adore, toujours en bataille alors qu'ils sont si raides. Callum garde les yeux dans les miens, mais je ne comprends pas vraiment sa question.

— Rien, dis-je.

Il baisse les yeux. C'était la mauvaise réponse.

— Écoute, aujourd'hui, j'ai passé une bonne journée. Ma première bonne journée depuis la mort de Sierra.

Il a un mouvement de recul au mot « mort ». Je poursuis :

— Je suis excitée à l'idée d'avoir peut-être un agent, et vraiment satisfaite du succès du site. Ça pourrait aider à le trouver. Et même si ça ne marche pas, ça pourrait empêcher une autre fille de faire la même erreur que Sierra.

— Presque la tienne, tu veux dire, crache-t-il avec dégoût.

— Tu es jaloux ? C'est ça, le problème ?

Il garde les yeux rivés au sol.

— Je suis désolée, Callum, ma vie ne tournait pas autour de toi. Moi aussi, je craquais sur Jacob. Eh oui, sur le moment, j'ai regretté que ce ne soit pas moi qui décroche un rendez-vous.

— Je dois y aller.

Il se lève de sa chaise et se dirige vers la porte.

— Callum, tu es venu jusqu'ici. Reste un peu. On n'a pas fini.

— Tu te trompes, Taylor. On a fini.

Il soutient mon regard, puis se dirige vers la porte. Le vent la referme derrière lui, et je sursaute. Il s'imagine sans doute que c'est moi qui l'ai claquée.

Je retourne à la cuisine. Sierra, j'ai besoin de toi. Pourquoi est-ce que ça a dû être toi ?

J'appelle Riley, qui décroche tout de suite.

En entendant le son de sa voix, je me mets à pleurer.

– Qu'est-ce qui s'est passé ? demande-t-elle d'une voix tremblante.

– Rien en rapport avec Sierra, dis-je aussitôt.

Je l'entends pousser un soupir.

– Je viens de me disputer avec Callum, et il est parti. (Ça paraît un peu ridicule après avoir parlé de Sierra. Silence au bout du fil.) Riley, tu es là ?

– C'était à propos de quoi ? demande-t-elle d'une voix glacée.

– Parce que j'ai dit devant tout le monde que moi aussi, j'étais tombée amoureuse de Jacob.

– Oui, et le lendemain, tu embrasses Callum. Il doit se sentir très spécial.

– Qu'est-ce que tu veux dire ? Ça n'a rien à voir...

– Le problème, me coupe-t-elle, c'est que depuis la mort de Sierra, tu t'es transformée en elle. Tu es tout le temps là, « regardez-moi, oh, qu'il a du succès, mon site, ah, je prends un agent, oui, moi aussi j'étais amoureuse de Jacob ». Et quand le mec qui est vraiment amoureux de toi découvre devant sept cents autres élèves qu'il était ton lot de consolation, tu fais comme Sierra : « Ben qu'est-ce qu'il a, à râler ? » Tu voulais être elle avant sa mort, Taylor, mais maintenant tu l'es devenue. Si les gens ne la supportaient pas, c'est parce qu'elle cherchait tout le temps l'attention.

Elle raccroche.

Sonnée, je garde le téléphone sur mon oreille quelques secondes. Je n'arrive plus à respirer. Riley a tort. Je ne me transforme pas en Sierra. Je repose le téléphone sur la table et monte m'allonger sur mon lit, les yeux au plafond. Je ne ressens plus rien. Un vide énorme, étrange, me donne l'impression que ce corps n'est plus le mien. Mon esprit s'est détaché. C'est agréable. Je reste sans bouger, pour que rien ne perturbe cet état étrange. Aucune douleur.

– Tout va bien ?

La voix de maman me ramène à la réalité en un sursaut. Je ne l'ai pas entendue entrer.

– Oui. (La douleur revient dans la moindre parcelle de mon corps et mes muscles se contractent pour m'en protéger. Je tourne la tête vers ma mère.) Et toi, ça va ?

– Rien n'est ressorti de Miffy, m'explique maman, qui s'assied sur mon lit. Ils ont bien trouvé des bandes-vidéo de leur rencontre, mais là encore, le gars s'est évaporé. Rachel n'a pas vu la vidéo, mais l'inspecteur lui a dit qu'ils étaient dans le coin restauration du centre commercial. Il portait une casquette, donc on n'a pas son visage. Quand Miffy part aux toilettes, elle s'arrête pour parler à une dame qui en ressort. C'est évident qu'elle la connaît : en fait, il s'avère que c'était une amie de sa mère. Miffy a été très surprise de la voir. On voit qu'elle est très mal à l'aise. Ça n'a pas échappé à son prédateur, et quand elle entre dans les toilettes, il se lève tranquillement et prend la sortie la plus proche. La Brigade des homicides est là-dessus. Ils pensent que c'est la connaissance de Miffy qui a fait fuir le gars. Ils avaient choisi Greendale parce que Miffy ne connaissait personne là-bas. Elle ne voulait pas que sa mère sache ce qu'elle faisait. Ce qui est bien, c'est que si jamais il est pris, elle pourrait l'identifier. Je n'arrête pas de me dire qu'elle a eu une chance incroyable, de tomber sur cette amie de sa mère... ajoute maman, des larmes dans les yeux.

Je suis retournée par cette nouvelle. J'étais tellement certaine que cette nouvelle piste permettrait d'avoir l'assassin.

– Et Miffy, elle est en danger ?

– Ça se pourrait, si le tueur savait que la police l'a interrogée, mais comme tu n'as pas publié son mail sur ton site, il n'a pas de moyen de l'apprendre. Les parents de Miffy... tu imagines dans quel état ils sont. Avec tous les « et si »...

Je me connecte à Risk. Des filles ont encore envoyé des photos. Pendant que je les sauvegarde, l'image de Fliss retient encore mon attention. Je l'ouvre. Le ciel sombre semble soudain abriter de mauvais présages. Il y a quelque chose qui cloche dans cette image. Elle n'est pas comme celle que Jacob Jones m'avait envoyée, et pourtant, elle m'y fait penser. Le sujet a la tête tournée, comme l'avait Jacob Jones. On ne peut pas vraiment voir à quoi il ressemble. Je ne situe pas la plage, mais elle me

semble familière. Le message de Fliss, la photo...
tout ça me titille.

Je regarde encore un petit moment. Je sais que
je suis parano. Est-ce que cette sensation horrible
passera un jour ?

Je passe aux statistiques. Nous avons dépassé les
vingt-cinq mille vues. Je réfléchis à des moyens de
le pousser encore. Je voudrais atteindre le million.

Je regarde Sierra sur la page d'accueil. Bébé, elle
sourit à l'objectif, de manière tellement innocente.
Je scrute son visage sur chaque cliché. Toute sa vie,
elle a été magnifique. Ce qu'a dit Riley sur le fait
qu'elle cherchait à attirer l'attention me résonne
dans les oreilles. C'est vrai, elle voulait constamment
être sous le feu des projecteurs. Pourquoi était-elle
ainsi ? Connaissions-nous vraiment Sierra ? Chaque
image montre son aplomb. Si elle en manquait
parfois, elle le cachait très bien.

Je passe à mes mails. J'ai reçu de nouvelles demandes de lycées.

Maman entre dans la cuisine et s'assied pour
voir ce que je lis.

– J'ai encore des lycées qui voudraient entendre
l'histoire de Sierra, lui dis-je.

– Et tu as envie d'aller en parler ?

– Je crois. J'ai cherché des agences pour les conférenciers, dis-je en rougissant.

J'ouvre le mail de Mila Park et oriente l'ordinateur
vers maman.

– Ils ont répondu vite.

– Oui, tout s'est passé dans la journée.

– Mais ce serait ton agent ? Tu serais payée pour aller parler ?

– Je pense, si ça se fait. Mais je serais prête à le faire gratuitement.

– Tu devrais peut-être attendre de voir si d'autres établissements te contactent avant de donner suite avec l'agence.

– Tu trouves que ce n'est pas une bonne idée ?

Je suis un peu déçue par sa réponse.

– Si, dans l'hypothèse où tu reçois beaucoup de demandes, mais tu devrais peut-être attendre de voir si ça se poursuit. Ensuite, si c'est toujours ce que tu as envie de faire, tu pourras toujours prendre les services d'un agent. (Maman m'embrasse.) Sierra serait très fière de ce que tu as fait.

– Peut-être, dis-je en baissant les yeux. Callum et Riley ne le sont pas.

Je suis triste au sujet de Callum, et je m'en veux énormément. Par contre, les accusations de Riley m'ont simplement mise en colère. Je ne devrais pas avoir à me sentir mal de ce que je fais pour Sierra. Elle serait contente pour moi, et Riley devrait l'être aussi.

– Tu veux en parler ? me demande maman.

– Pas vraiment. Pas tout de suite. Il me faut plus de temps pour débrouiller tout ça.

– Et ça va aller, demain, au lycée ?

– Oui. Je vais me concentrer sur le site et le rendre aussi bon que possible.

– Et ton travail scolaire ? Tu arrives à rattraper ?

– Doucement.

– Le lycée a proposé des cours du soir. On peut se donner deux semaines, et si tu es encore à la traîne, on se penchera sur la question.

– Oui, il faudra sans doute.

Maman se lève pour commencer à préparer le repas. De mon côté, je bosse sur Risk. Je passe en revue chaque page et chaque thème de discussion pour répondre aux commentaires lorsque j'en ressens le besoin. Ensuite, je me mets à rédiger le post de blog que j'avais en tête :

La culpabilité du survivant : présente

Le décès de Sierra a mis mon monde sens dessus dessous, et je peine à faire mon deuil. Je ne sais pas ce que je suis autorisée à ressentir, ni comment me comporter, ni ce que je devrais dire ou ne pas dire à mes amis. Je ne sais plus comment réagir à des choses qui auparavant ne me posaient aucun cas de conscience. Mes priorités ont été complètement chamboulées et je n'arrive pas à les démêler. Ce qui semblait si important avant me semble désormais insignifiant. Je ne suis pas une amie très sympa, en ce moment. J'ai peut-être l'impression de ne pas mériter mes copains. D'après ma psy, je connais ce que l'on appelle la culpabilité du survivant.

Je suis contente d'être ici et vivante. Mais ça ne signifie pas être contente que ce soit Sierra plutôt que moi qui soit allée rencontrer ce mec qui a mis fin à sa vie. Je me sens coupable parce que ces sentiments paraissent opposés. Ai-je le droit de me sentir soulagée sans réfléchir à ce que me cause la perte de Sierra ? Puis-je éprouver peur et anxiété quand je pense comme j'ai été près d'être à la place de Sierra, sans sembler égoïste ou sans cœur ?

Je suis heureuse d'être en vie. Je suis accablée que Sierra ne le soit pas.

Il n'y a pas de lien entre ces deux ressentis.

Avez-vous déjà éprouvé de la culpabilité ? Comment vous en êtes-vous sortis ?

Je publie le billet et partage le lien sur les réseaux sociaux.

Avec chaque texte que je mets en ligne, je sens un poids ôté de mes épaules. Exprimer mes sentiments, ça permet un genre de soulagement. Je veux que les gens comprennent. Je veux que Callum et Riley le sachent. Rachel aussi. Surtout elle. Je veux qu'elle lise Risk. Parfois, c'est en pensant à elle que j'écris.

VINGT-DEUX

La semaine s'éternise. J'ai aperçu Callum et Riley qui mangeaient ensemble, mais ils n'étaient pas assis dans mon coin. En passant près d'eux, j'ai fait mine de ne pas les voir. Du coin de l'œil, j'ai constaté que Callum s'arrêtait de parler et me suivait des yeux. À ce moment, tous mes sens étaient orientés vers les siens, ma vision périphérique étendue, mon audition exacerbée. Je suis sûre que je pouvais l'entendre respirer. Une fois que je les ai dépassés, les bruits ambiants sont revenus, comme si de rien n'était.

Je fais en sorte de ne pas repasser par là. Je passe toutes mes pauses et mes déjeuners seule dans la salle d'informatique à travailler sur le site.

Le dernier billet du blog a fait monter les visites à quarante mille. Mais la joie est gâchée par le fait de n'avoir personne avec qui la partager.

– Sierra, tu es là ? dis-je à voix basse. Le monde t'aime.

Je regarde autour de moi pour détecter un signe montrant qu'elle est avec moi. Rien.

En dernière heure de la journée, j'ai cours de littérature. J'ai envie de sécher, parce que le thème du moment est le conflit, ce qui me met mal à l'aise. Je parie que Mme Duerden a remarqué les problèmes entre Callum, Riley et moi, et nous a préparé un cours sur mesure.

Les bureaux ont été disposés en U. En arrivant, j'ai trop chaud, alors je me place aussi près que possible de la porte pour profiter de la clim. Je suis rafraîchie, mais mes cheveux volent dans tous les sens et s'emmêlent joyeusement. Rien de glamour là-dedans.

Mme Duerden se place face à nous. Je ne regarde pas Callum ni Riley, mais je sais exactement où ils sont. La prof à douze heures, moi à une heure, Riley à quatre et Callum à sept. Quelques élèves sont assis entre Riley et moi, ce qui nous cache l'une à l'autre. Je suis sûre qu'elle a choisi cette place pour éviter de me voir.

– Bonjour, tout le monde. Aujourd'hui, nous allons effectuer un exercice de perception. Les conflits naissent souvent de divergences de points de vue. Je vous ai distribué une fiche. Vous allez la lire, puis nous discuterons des exemples de différence de perception.

Tout le monde grommelle à voix basse. La prof parle plus fort.

– Ensuite, vous écrirez un texte du même type. Rien de très long. Je sais que c'est le dernier cours de la semaine et que vous avez tous très envie de commencer votre week-end. Avant, je voudrais que vous rédigiez au moins deux paragraphes qui montrent une même situation vue par des yeux différents. Taylor, peux-tu nous dire l'exemple ?

Je commence à lire la fiche :

Assise sur le siège passager, elle balaie du regard la ville pendant que la voiture s'engage sur le pont. Des nuages s'amassent à l'ouest en de superbes renflements violacés, avec du bleu et du blanc floconneux en dessous. C'est la rencontre parfaite des gaz atmosphériques et de la lumière du soleil qui permet cette image devant elle. Elle ne restera ainsi que quelques minutes, puis le soleil de fin d'après-midi déclinera, altérant la lumière et modifiant la vision devant elle. Elle sourit en s'imprégnant de cette beauté. Elle se sent privilégiée d'avoir admiré le monde à ce moment précis.

Au volant, il change de file, jette un œil vers la ville et pousse un petit sifflement.

– On va se payer un sacré orage, déclare-t-il.

Les autres rient de la différence de ton. Ça me rappelle un peu l'une des photos de Cabe Osric. De superbes nuages amassés au-dessus d'une ville, capturés juste dans la bonne lumière...

Le cliché de plage sous un temps orageux !

Merde.

La photo de Fliss, du mec sur la plage.

Oh, putain !

Je me lève si vite que ma chaise tombe par terre.

– Tayl... commence Mme Duerden, qui s'interrompt.

J'ai du mal à respirer. Le mec que doit rencontrer Fliss est photoshopé sur une photo de Cabe Osric. Il faut que je la revoie. Je croise le regard de Callum. Figé sur sa chaise, il a les yeux rivés sur moi. Il comprend que quelque chose ne va pas.

– Il me faut un ordinateur, lui dis-je.

– Mais Taylor, qu'est-ce qui se passe ? demande la prof.

– Un ordinateur. Je dois aller sur le site de Cabe Osric, et sur Risk.

Callum et Riley comprennent tout de suite. Callum sort son ordinateur et en quelques secondes, il est sur Internet et fait jouer ses doigts tremblants sur le clavier.

– J'ai le site de Cabe Osric, m'annonce-t-il.

Je le rejoins pour tourner son ordinateur vers moi. Frissonnante, je fais défiler la galerie. Voilà. C'est la même que celle de Fliss, j'en suis certaine.

– Je suis sur Risk, me dit Riley, la voix rauque.

Je pose son ordinateur à côté de celui de Callum. Mme Duerden est derrière moi. Callum saute pardessus la table pour voir aussi. Je clique sur les mails de Risk, sélectionne la photo de Fliss...

Voilà. C'est bien celle de Cabe Osric. Le mec a été ajouté. Ce n'est pas le même que sur la photo envoyée à Sierra, mais il a le même look. Le visage qui évite l'objectif, bronzé, les cheveux couleur sable, bien musclé. *Lui* aussi doit avoir ce look.

– Fliss, la fille qui m'a envoyé ça, elle le rencontre aujourd'hui ! Lui ! C'est le même ! dis-je à Callum.

– Putain de merde, fait Callum, qui se passe les mains dans les cheveux. Il faut appeler la police.

– Tu as le numéro de l'inspecteur ?

– Moi, je l'ai, me répond Riley.

Elle trouve son portefeuille dans son sac et en tire une carte de visite.

Je compose le numéro en vérifiant l'heure. Les cours se terminent dans une demi-heure. Mon appel est aussitôt redirigé sur la messagerie. Je renouvelle ma tentative, avec le même résultat.

– Il répond pas !

– Appelle le numéro d'urgence, suggère Callum.

Mes doigts moites accrochent l'écran. Je m'exécute.

– Police, pompiers ou ambulances ?

– Police.

La sonnerie signale le transfert. Ça prend beaucoup trop longtemps. Fait chier, fait chier, fait chier ! Je regarde ma montre. C'est ridicule.

– Urgences de la police, bonjour ? dit une voix de femme.

– Il nous faut du monde à la marina de Sainte-Kilda. (Ah, et s'ils vont aussi se promener sur la jetée ?) Et aussi sur la jetée, peut-être.

Je parle tellement vite que les mots se chevauchent.

– Votre nom, s'il vous plaît ?

– Taylor Gray.

– Votre adresse ?

– Quoi ?

Si je pouvais, je secouerais cette bonne femme à travers le téléphone.

– Puis-je avoir votre adresse ?

– C'est vraiment urgent. Il nous faut la police tout de suite.

– Si vous répondez à mes questions rapidement, la police arrivera vite. Il me faut votre adresse.

Je la décline.

– Votre date de naissance ?

Mais c'est pas vrai... je la donne aussi.

– Quelle est la nature de votre plainte ?

– Il va y avoir un enlèvement à la marina de Sainte-Kilda ou sur la jetée de Sainte-Kilda.

– Qu'est-ce qui vous fait penser ça ?

– Une fille appelée Fliss m'a envoyé une photo du mec, c'est un assassin. Il a tué ma copine, Sierra Carson-Mills. Et Fliss doit le retrouver aujourd'hui après les cours

– Quel est le nom de famille de Fliss ?

– Je le connais pas, son nom ! Je ne sais même pas si Fliss, c'est son vrai prénom ! C'est son pseudo sur mon site.

– À quoi ressemble-t-elle ?

Oh, putain...

– J'en sais rien ! Je sais juste qu'elle doit rencontrer ce mec.

– Comment s'appelle-t-il ?

– Aucune idée ! La dernière fois, il a utilisé le nom de « Jacob Jones ».

– Quel âge a Jacob Jones et à quoi ressemble-t-il ?

– Je sais pas. Il a sans doute des cheveux blond foncé, musclé... et... honnêtement, je ne peux pas vous dire. Si je savais tout ça, la police l'aurait déjà arrêté.

– J'envoie une voiture à cet endroit. Veuillez rester en ligne.

Je l'entends pianoter sur son clavier.

– Bon, dit-elle d'une voix agacée. Ils sont en route. (Elle s'interrompt.) Il me faut encore des détails, donc merci de ne pas raccrocher. Nous cherchons Fliss, qui n'utilise peut-être pas ce nom, description, néant et Jacob Jones, qui n'utilise pas ce nom, description, néant également. Ce sont des renseignements très incomplets. Pouvez-vous me donner plus de détails ?

Encore une fois, je regarde l'heure.

– Je ne sais rien de plus ! Je sais juste que Fliss est en danger. Elle va rencontrer un assassin !

Mes mots pèsent dans l'atmosphère.

– D'accord. Il va me falloir d'autres détails, s'il vous plaît. Pouvez-vous me dire comment vous êtes au courant ?

Oh, purée. Je n'ai rien d'autre. Combien de fois je vais devoir le dire ?

– Envoyez juste la police, bordel !

– Veuillez vous dispenser d'un tel langage, Mademoiselle Gray. La police a été envoyée.

Je regarde encore ma montre. Si je pars maintenant, je pourrai arriver là-bas à temps.

– Désolée. Puis-je vous demander de contacter l'inspecteur Kel Parkinson, pour lui dire que Jacob Jones doit rencontrer une autre lycéenne, connue sous le pseudo Fliss, à la marina de Sainte-Kilda ou à la jetée, cet après-midi ? Il saura quoi faire.

La standardiste répète tout ce que j'ai dit en tapant sur son ordinateur. Elle relit ses notes et me demande de confirmer ma requête.

– Oui.

Quand elle exige de savoir pourquoi j'ai besoin de parler à l'inspecteur Parkinson, je raccroche et je me mets à courir. Je peux y arriver.

– Tu vas où ? me crie Callum derrière moi.

– À la marina. Je pense que je peux y être à temps !

Je cours dans le couloir et j'entends de l'agitation derrière moi. La prof de littérature me dit de rester là. Callum hurle quelque chose que je n'entends pas. Je n'ai pas le temps de m'arrêter. J'ai laissé tomber Sierra en refusant de l'accompagner. Je ne laisserai pas tomber Fliss. Je fonce sur le terrain de foot. À cette heure de la journée, il y a des trains toutes les vingt minutes. J'entends une voix derrière moi. C'est Callum qui me suit. Je ne regarde pas en arrière, je ne m'arrête pas. Je tourne sur le sentier vers la gare. Je sens mes poumons me brûler, mais je continue de pousser sur mes jambes. J'arrive dans la gare comme une fusée, et j'entends un train qui arrive. Juste quand il s'immobilise sur le quai, je suis sur la passerelle au-dessus. Je le vois juste là, les portes ouvertes, pendant que je cours au-dessus et que je descends avec précipitation. Les portes se referment et le train commence lentement à s'éloigner.

– Non ! Attendez, attendez !

Mes cris sont étouffés par le bruit du train qui sort de la gare.

Des larmes de rage et de frustration me piquent les yeux. Je donne un coup sur le train en hurlant de toutes mes forces, mais il ne s'arrête pas. De l'autre côté des voies, je regarde la route, d'où je viens, et j'aperçois des taxis. Mais un nouveau train arrive de la direction opposée et avant que je puisse reprendre la passerelle en sens inverse, les passagers qui en sortent les auront tous pris d'assaut. Je scrute les voies, évalue la hauteur depuis le quai. Est-ce que je pourrai remonter aussi haut à temps ? Depuis la passerelle, Callum crie mon nom. Je le regarde un bref instant, mais j'ai pris ma décision.

Je prends mon élan et bondis du quai vers les voies. Mon atterrissage sur les pierres n'est pas très heureux et je manque de tomber à la renverse. Je n'ai pas de temps à perdre, car un train arrive.

– Taylor ! hurle Callum.

Mais le conducteur m'a vue et le couinement des freins noie sa voix. Je peux y arriver. Je m'élance au-dessus du reste des pierres, puis escalade tant bien que mal le quai d'en face avant que le train ne m'ait approchée. J'y suis.

Je cours vers le premier taxi.

– La marina de Sainte-Kilda, s'il vous plaît.

Le chauffeur se tourne vers moi, visiblement surpris par cette demande. Je suis toute rouge et complètement essoufflée. Il me regarde d'un air soupçonneux.

– Vous avez de l'argent ?

– Oui.

C'est un mensonge.

– Ça fera dans les quatre-vingts dollars de traverser la ville à cette heure-ci. Montrez-moi les billets.

– S'il vous plaît, c'est urgent.

– Nourrir ma femme et mes enfants, c'est urgent aussi. Dégagez de mon taxi.

– Quelqu'un pourrait être tué !

J'ai les larmes aux yeux.

– Dehors, répète-t-il. (Il sort de son véhicule pour venir ouvrir ma portière.) Sortez de là et circulez, sinon j'appelle la police.

Je descends de voiture avec un regard dégoûté vers le chauffeur.

Sur le quai d'en face, Callum me regarde, sa poitrine se soulève d'avoir couru. Le temps file. Je ne vais pas y arriver.

Je réfléchis. Rachel habite à cinq minutes d'ici, mais elle me déteste...

Je me creuse la cervelle pour trouver autre chose. Rien. Tant pis, il faut que je tente.

L'estomac en révolution, je me remets à courir, cette fois vers chez les Carson-Mills. Tout en sprintant, je scande dans ma tête :

Pourvu qu'elle soit là, pourvu qu'elle soit là, pourvu qu'elle soit là...

Je frappe à la porte beaucoup plus fort que prévu, et ça fait un bruit impossible. Je l'entends se dépêcher de venir répondre.

– Rachel, j'ai besoin de ton aide, c'est urgent.

Elle pâlit, choquée par mon invasion.

– Je suis vraiment désolée de venir ici. Jamais

je ne... je suis désespérée. J'ai besoin de ton aide. S'il te plaît.

Hébétée, Rachel me regarde sans rien dire. Je reprends :

– Je t'en supplie. Jacob Jones doit rencontrer quelqu'un d'autre, une fille qui ne sait pas que c'est lui. (Les larmes me coulent sur les joues.) Je sais que j'aurais dû y aller avec Sierra. Je le regretterai pour le restant de mes jours. Je t'en supplie, on pourrait l'arr...

– Taylor, ce n'est pas à moi de poursuivre ce garçon, dont tu penses, va savoir pourquoi, qu'il pourrait être Jacob Jones.

– Je sais... je sais bien, mais je n'ai personne d'autre. Je viens de louper le train, puis le chauffeur de taxi a refusé de me prendre parce que je n'ai pas d'argent. Je t'en supplie, ça urge !

Rachel se met les mains devant les yeux et appuie fort dessus.

– Taylor, je ne peux pas faire ça. C'est aux policiers de s'en charger. Appelle-les et va-t'en, s'il te plaît.

– C'est ce que j'ai fait. Je n'ai pas réussi à avoir l'inspecteur Parkinson, et la standardiste des urgences a dit qu'elle envoyait une voiture, mais elle ne comprend rien. Elle devait penser que j'inventais, parce que je ne pouvais pas lui donner de vrais noms ni de descriptions. Rachel, tu peux me détester jusqu'à la fin des temps, je suis incapable de changer ce qui est arrivé, mais si tu ne m'aides pas maintenant, tu vas commettre la même erreur que moi. Qu'est-ce que tu diras à la mère de Fliss quand sa fille ne rentrera pas chez elle ce soir ?

À la réaction de Rachel, je vois que j'ai tapé juste. Je me sens cruelle. Comment puis-je encore la faire souffrir ? À mon tour, je me tamponne les yeux.

– Je suis désolée. Je n'aurais pas dû dire ça. Je m'en vais.

Je m'apprête à partir, mais Rachel me retient.

– Attends. Je veux bien t'amener.

Je ferme les yeux et respire un grand coup.

– Merci. Il faut qu'on se dépêche. Je sais même pas si on arrivera à temps.

Pendant le trajet, nous n'échangeons pas un mot. Rachel se faufile dans le trafic, mais je ne peux m'empêcher de donner des coups nerveux sur mes jambes et de regarder ma montre toutes les trente secondes. Chaque feu rouge est douloureux. Les secondes s'écoulent. Les minutes. Nous arrivons juste à quinze heures trente. Les cours se terminent. À moins que Kel Parkinson ait pu l'arrêter, Fliss doit être en route.

Quand la marina apparaît au loin, il est juste quatre heures. Avec la circulation, on se déplace à une vitesse d'escargot. J'irais plus vite à pied.

– Je vais descendre ici, dis-je à Rachel.

– Sois prudente, m'intime-t-elle, les yeux emplis de larmes.

Ses mots manquent de me faire trébucher en descendant du véhicule. Je me retourne vers elle pour croiser son regard, puis je claque la portière et je cours.

L'adrénaline se répand dans mes veines. Mes jambes paraissent légères et je file. Il y a du monde partout. Sur des skates, en train de promener leur chien, des couples qui se tiennent la main, des joggeurs, des gens debout ou assis. Mais je n'aperçois aucune voiture de police. Je balaie le parking du regard, puis l'esplanade qui longe la plage. Je vois un jeune couple sur un banc. Ils sont assis près, mais ne se touchent pas. La fille est petite et brune. J'imaginais Fliss blonde, comme Sierra, mais ça ne veut rien dire. Le mec a des cheveux châtain clair. Ça pourrait être eux. Je crie :

– Fliss !

La fille ne se retourne pas. Je crie de nouveau en courant vers eux. Ils se lèvent et se dirigent vers une voiture.

– Fliss, arrête ! N'y va pas ! (Je les rattrape et prends le bras de la jeune fille, qui sursaute.) Tu es Fliss ?

– Mais non !

Elle secoue la tête et se dégage en ouvrant de grands yeux. Son copain s'interpose pour la protéger.

En le regardant, je me souviens que j'ai envoyé une photo de moi à Jacob Jones. Il sait à quoi je ressemble. Tremblante, je m'adresse à la fille à voix basse en me tordant le cou.

– Je suis Taylor, du site de Risk, dis-je, le souffle court. Tu vois qui je suis ?

– Non, aucune idée, répond-elle d'un ton sec.

– Pardon.

Je pars à reculons, puis me détourne lentement, cherchant à détecter une ado qui pourrait être Fliss. Un autre couple s'avance sur l'esplanade.

Je me dirige vers eux au pas de course en criant le nom de Fliss.

Cette jeune fille est assez grande, plus âgée que ne le serait sans doute Fliss. Ils ont l'air de se connaître. Ce n'est sans doute pas elle, mais je demande quand même.

– Excusez-moi, je cherche Fliss. C'est vous ?

– Non, désolée, répond-elle avec le sourire.

Je cours vers la mer. Une petite blonde est assise en tailleur sur le sable. Le mec qui l'accompagne est étendu sur ses bras croisés. Il a les cheveux blond foncé et elle a environ quinze ans. Elle rit à gorge déployée. Je vois qu'elle adore ce mec. Arrivée sur la plage, je me remets à marcher, le cœur cognant violemment dans ma poitrine.

– Fliss, c'est toi ? je demande, comme si c'était une vieille amie.

Elle se tourne vers moi, incertaine, puis se retourne vers son copain. Je répète :

– Fliss ?

Elle se tourne vers moi.

– Excuse-moi, c'est à moi que tu parles ?

– Oui, désolée, je cherche Fliss. C'est toi ?

– Non, tu dois me confondre avec quelqu'un d'autre.

Je ne la crois pas. C'est sûrement elle.

– Tu es allée sur le site Risk ? Ton pseudo, c'est Fliss ?

– Désolée, je comprends pas.

– Je suis Taylor, je t'ai envoyé un message.

Je guette une lueur de compréhension sur son visage.

– Bon, je te l'ai dit, c'est pas moi. Dégage maintenant.

Soudain, son mec se redresse entièrement pour me faire face, et je recule.

Je regarde à la ronde. Mon regard est attiré par une voiture noire à la vitre baissée. Le conducteur a le visage tourné dans l'autre sens, puis d'un coup, il regarde vers la mer. Il y a quelque chose dans son expression, ses lunettes de soleil qui reflètent l'extérieur, son sourire... Un frisson me parcourt l'échine. Le véhicule passe à ma hauteur, comme au ralenti. Je reste clouée sur place quelques instants, sans savoir quoi faire. Et puis je me mets à courir. Je dois voir la passagère.

En un éclair, je suis sortie de la plage et je suis sur l'esplanade. Je vois que la voiture va tourner à gauche et se diriger vers les feux. Je traverse le parking à une allure folle, et je parviens à entrevoir la passagère quand elle tourne la tête. Elle est jeune, bien plus jeune que lui, mais très maquillée, comme pour se faire paraître plus âgée. Elle rit avec légèreté, et ses cheveux blond vénitien se balancent dans la brise.

– Fliss ! (Je ne crie pas assez fort. J'arrête de courir pour reprendre mon souffle, puis je hurle le plus fort possible.) Fliiiss !

VINGT-TROIS

S a vitre se relève.
La voiture noire s'arrête au feu rouge.
Je cours aussi vite que je peux, mais je n'y
serai pas assez vite. Le feu passe au vert et
elle commence à s'éloigner.

Non. Non. Non, non, non, non... toute mon
énergie s'élève dans ma poitrine et se bloque dans
ma gorge. Les larmes brouillent ma vue, mais je les
essuie et plisse les yeux ; je distingue juste la plaque.

WXT 446. WXT 446. WXT 446. Je me répète
les caractères, encore et encore. Je les prononce à
voix haute, terrifiée à l'idée de me mélanger. Wagon Xylophone Terrible, quatre cent quarante-six.
Wagon Xylophone Terrible, quatre-quatre-six. Je
le répète des milliers de fois, pour le graver dans
ma mémoire.

Une sirène de police retentit au loin. Je sors mon téléphone pour composer le numéro de Kel Parkinson. Il répond, j'entends la sirène dans le combiné aussi. C'est lui. Il est arrivé, mais trop tard, comme moi. Sa voiture s'arrête avec un dernier couinement dans le parking de la marina, à côté de moi. L'odeur de brûlé des freins trop sollicités me parvient à la suite.

Il se trouve dans le siège passager.

– WXT 446, lui dis-je aussitôt. Notez vite, avant que j'oublie.

Il me pose des questions et relaie mes réponses à quelqu'un par téléphone.

– Nous avons identifié Fliss, m'annonce-t-il. Une photo arrive.

Quelques secondes plus tard, son téléphone bipe, et il me montre l'image. Je la reconnais tout de suite.

– Oui, c'est elle que j'ai vue dans la voiture. Noire, la voiture.

Rachel s'arrête derrière le véhicule de police et vient à côté de moi. Kel lui demande si elle peut me raccompagner chez moi, et pendant que je retourne dans la voiture de Rachel, l'inspecteur part comme un boulet de canon.

Rachel et moi restons silencieuses. Je m'appuie à la portière, complètement vidée. Je me retiens de pleurer, pour éviter à Rachel de voir ça. Les yeux clos, je me concentre sur la douleur dans ma gorge. Le trajet de retour me semble durer des heures ; quand enfin elle se gare dans notre allée, je me tourne vers elle.

– Merci de m'avoir aidée. Je sais... (La voix me manque.) Je sais que c'était déplacé de venir te solliciter, mais je ne savais pas quoi faire d'autre.

Rachel me regarde, et des larmes lui montent aux yeux.

– Tu as bien fait, Taylor.

Maman ouvre la portière, le malaise inscrit en toutes lettres sur son visage. Je me rends compte maintenant qu'elle devait se demander où j'étais passée. Je sors du véhicule, fonds en larmes et nous nous embrassons. Puis je rentre en laissant Rachel lui expliquer ce qui s'est passé.

Sur mon lit, je regarde au plafond. Je suis crevée, mais je n'arrive pas à fermer les yeux. Chaque fois, je revois le joli visage de Fliss, toute jeune et contente, qui passe près de moi dans la voiture noire.

Je suis arrivée trop tard. Je ne l'ai pas sauvée.

Je me relève et descends au salon.

Je fais les cent pas en attendant. Maman s'assied sur le canapé et me dévisage, en colère.

– Cet homme est dangereux, Taylor. Promets-moi que jamais, jamais plus tu ne te lanceras à sa poursuite.

– Je sais bien qu'il est dangereux ! Et maintenant, il a Fliss. Qu'est-ce que j'aurais dû faire ?

Nous nous toisons pendant un instant. Je sais qu'elle comprend. Elle aurait fait la même chose.

On toque à la porte. Callum et Riley sont là. Riley a les yeux rouges et gonflés, et Callum n'est pas spécialement en meilleur état. Sans un mot, Riley et moi nous embrassons. Callum s'installe dans le canapé en face de maman. Tout a un goût de déjà-vu... nous étions déjà ainsi au moment de la disparition de Sierra, puis quand elle a été retrouvée, puis après son enterrement, au moment de la piste Miffy. Callum a passé des journées entières sur notre canapé, à attendre et souffrir en silence.

Maman se penche en avant.

— Taylor, maintenant que tu as de la compagnie, je vais peut-être passer chez Rachel, voir comment elle va.

— Tu pourras nous appeler ? Je veux savoir même le détail le plus anodin.

Elle hoche la tête, ramasse ses clés et franchit la porte. J'aimerais pouvoir venir avec elle aussi, mais je sais que ce serait trop pour Rachel. Elle est à vif suite à cet après-midi.

Ça me déplaît horriblement d'être mise à l'écart.

Je prends mon téléphone sur le comptoir et le mets en charge, au cas où. Je me rassieds. Je me demande comment Jacob Jones s'est baptisé, cette fois-ci.

Une demi-heure plus tard, ça sonne et je plonge pour aller décrocher.

— Maman ?

— Taylor. (Rien qu'au son de sa voix, je sais que ce n'est pas bon.) Rachel vient d'avoir Kel au téléphone. Ils ont posté du personnel dans toute la ville, mais n'ont pas réussi à intercepter la voiture. Le téléphone de Fliss renvoie directement à sa messagerie quand on essaie de l'appeler, alors ils essaient de récolter autant de renseignements que possible auprès des amis de Fliss. Mais à ce stade, personne n'a aucune idée d'où ils sont partis.

Je me laisse glisser au bas du comptoir de la cuisine et me pose par terre en fermant les yeux.

– Taylor, tu es là ? me demande maman.

– Oui, dis-je dans un souffle.

Callum est à genoux devant moi, Riley à côté. Ils n'ont pas entendu les paroles de maman, mais voient bien ma réaction. Riley pose la tête entre ses mains et un grognement lui échappe.

– Ça va ? me demande maman. Je peux rentrer si tu veux.

– Non, j'ai Callum et Riley. Rachel a besoin de toi.

– On a l'immatriculation de la voiture. Maintenant, ils peuvent l'identifier. Ils vont le trouver.

Mais ce n'est pas ce qui va aider Fliss... Voilà ce que je pense après avoir raccroché.

J'explique aux autres ce qu'il en est. Callum souffle comme s'il venait de recevoir un coup dans le dos. Je me lamente :

– Pourquoi je n'y ai pas pensé plus tôt ? Même une heure aurait fait une différence.

– Ils le trouveront peut-être à temps quand même, dit Callum.

Je le serre dans mes bras. J'aime son optimisme, mais je n'y crois pas.

Nous nous remettons sur le canapé, je prépare des chocolats chauds et nous nous préparons à passer une longue nuit. On parle, on pleure et on parle encore. Riley nous dit que Joel lui manque, que Sierra lui manque. Elle se remet à sangloter.

Le mur qui s'était dressé entre elle et moi depuis la mort de Sierra s'effondre ce soir.

– Je suis désolée de t'avoir dit que tu te transformais en elle, déclara-t-elle.

J'attends qu'elle poursuive.

– C'est juste... J'ai toujours eu l'impression que Sierra me trouvait moins importante à ses yeux, tu vois ? Comme si elle ne m'avait jamais accordé d'attention. Et puis, à ce moment-là, c'est ce que j'avais l'impression de ressentir de toi. Je comprends, vraiment. Je sais que tu es en deuil et que tu fais ce que tu peux pour t'en sortir. On fait tous ce qu'on peut. Je comprends, maintenant.

– Je suis vraiment désolée, dis-je en pleurant. Je n'ai jamais voulu te faire ressentir ça.

Riley me rejoint sur mon canapé et nous nous étreignons, ce qui me fait pleurer encore.

Je suis vraiment contente que nous arrivions à parler comme ça. Notre proximité m'a manqué. Et je vois Riley sous un nouveau jour aussi. Callum et Joel, également. Ils ont tous traversé des temps difficiles. C'est comme si nous avions dû nous séparer pour arriver à survivre. La mort de Sierra nous a fait dérailler, et nous sommes tous partis en vrille dans différentes directions. Mais maintenant... c'est comme si on était revenus tant bien que mal à notre point de départ. Toujours blessés, évidemment. Chacun de notre côté, et en tant que groupe d'amis, nous avons un long chemin à parcourir. C'est peut-être ça que je dois apprendre. Maman a tenu bon avec Rachel, même quand celle-ci lui disait ne pas vouloir de nous. Je ne veux même pas imaginer les horreurs qu'a pu lui dire Rachel. Alors que ma mère aussi a son deuil à faire, car elle aussi aimait Sierra.

Ma mère rappelle une heure plus tard. Rien de neuf.

– Comment va Rachel ?

– Pas super. Elle carbure au gin, je trouve que ça n'aide pas. Dave vient d'arriver, et elle est beaucoup plus calme maintenant qu'il est là. Ça ne m'étonnerait pas qu'ils se remettent ensemble.

Nous parlons encore quelques minutes, puis nous raccrochons.

– Où est-ce qu'il peut l'emmener ? Ballarat ?

Cette question n'appelle pas de réponse, alors personne ne prend la peine d'en donner.

J'espère que Dave et Rachel se remettront ensemble. D'une certaine façon, eux aussi se sont éloignés, comme nous. D'abord, Rachel a mis Dave dehors, puis Cassy a décidé de partir avec lui parce qu'elle avait l'impression que Rachel lui en voulait, mais maintenant, ils vont peut-être se retrouver à un genre de point de rencontre.

Callum et moi sommes sur un canapé, Riley est allongée sur l'autre. On attend. On ne parle presque plus, on attend. On attend.

Et on attend encore.

Maman arrive à deux heures du matin et nous nous redressons en sursautant. Elle est en larmes. Elle regarde les deux autres, puis pose les yeux sur moi. Mon cœur se serre.

— Fliss est de retour. Il l'a laissée partir.

Ma mère s'interrompt, se tord les mains, puis nous rejoint dans le salon. Elle dépose son sac à main avec un soin infini sur la table basse, comme s'il était plein d'eau qu'elle ne voulait pas renverser. Nous la regardons tous. Mon cœur se met à battre à tout rompre et Callum déglutit si fort que je l'entends. Maman se hisse sur un accoudoir à côté de Riley. Elle prend une profonde inspiration pendant que je retiens la mienne.

— Mais lui, ils ne l'ont pas eu.

Un trou béant se reforme dans ma poitrine. Tellement douloureux que je me frotte de ma main.

— Mais Fliss va bien ?

— Apparemment. Elle n'est pas coopérative. Elle dit qu'elle est amoureuse de lui et que la police fait erreur.

— Quoi ? crache Riley. Quelle pauvre c... (Elle s'arrête, jette un œil vers moi.) Idiote.

Callum se passe les mains sur le visage. Il est pâle et a de grands cernes sous les yeux.

— Est-ce que la police a quand même quelque chose ?

— Oui, ils ont l'immatriculation. C'est une très bonne piste. Peut-être d'autres choses, je n'en sais rien. Ils ne veulent pas en révéler davantage.

— Qu'est-ce qui va se passer pour Fliss ?

— C'est une victime, alors ils marchent sur des œufs. Son témoignage sera crucial dans cette affaire, une fois qu'ils auront mis la main sur lui. (Elle se tourne vers Riley.) Et tu la trouves peut-être bête,

mais n'oublie pas comme cet homme est manipu-
lateur, ajoute-t-elle d'un ton pas tout à fait aimable.

– Je me sens trop mal pour Fliss, dis-je. Imaginez
quand elle acceptera enfin l'idée qu'elle sort d'un
rencard avec un assassin.

J'en frissonne. C'est trop proche de ce qui aurait
pu m'arriver pour que j'aie envie de m'y appesantir.

– Pourquoi il n'a pas laissé partir Sierra ? demande
Riley, de grosses larmes lui roulent sur les joues.

– Rachel a eu la même réaction. Pour l'instant,
la police ne peut que spéculer, et ne dit pas grand-
chose. De mon côté, je pense que pendant leur rendez-vous, Sierra a dû découvrir des détails sur sa
réelle identité, ou quelque chose dans ce genre.

– Qui sait pourquoi ce salopard fait ce qu'il fait...
Comment peut-on disparaître comme ça ? Putain
de merde, mais qu'est-ce qu'ils foutent, ces débiles
de flics ? s'emporte Callum.

– On verra, dit maman. L'immatriculation donne
de l'espoir. Ils ont des forces déployées toute la nuit,
qui font tout ce qu'elles peuvent. Ils avaient l'air
confiants.

Je prends une grande inspiration. Je vais rester
sur ce « confiants ».

– Il est deux heures du matin, ajoute maman.
Je vais au lit. Vous aussi, vous devriez essayer de
dormir.

Elle m'embrasse sur le front au passage, et je lui
presse le bras.

Riley commence à sommeiller vers six heures
du matin, et Callum aussi. Je les laisse pour me

rendre dans ma chambre. Je pose mon téléphone sur ma table de nuit, me mets au lit et laisse le sommeil emporter mon esprit.

VINGT-QUATRE

C'est le téléphone fixe qui me réveille. Il est dix heures et demie. La sonnerie s'interrompt, alors je suppose que maman a répondu.

Quelques instants plus tard, elle apparaît à ma porte.

– Ils l'ont eu. (Sa voix se brise.) Ils l'ont eu. (Elle tremble, et je viens l'embrasser.) Tu as réussi. Tes infos. L'immatriculation, le site. Tu les as aidés à l'arrêter.

Elle est dans tous ses états, à un point effrayant. Elle lâche prise complètement et sanglote si fort comme si c'était tout ce qu'elle a retenu pendant des semaines. Je reste solide et ne pleure pas. C'est à mon tour de la soutenir.

Les semaines qui viennent de s'écouler me reviennent par flashs.

Le sourire de Sierra. La souffrance sur le visage de Callum. L'isolement de Riley.

La photo de Fliss. La galerie de Cabe Osric. Taylor Wolfe.

La chaleur de M. Sam.

L'émotion de Rachel. Sa rancœur.

Le cercueil de Sierra. La marée d'uniformes.

Mon amour pour Callum. Et puis la douleur atroce.

Tout me revient. Je prends une immense inspiration. Maintenant qu'il a été arrêté, peut-être que mon monde va recommencer à tourner.

VINGT-CINQ

Callum, Riley et moi restons scotchés à la télé en attendant les infos du soir. Enfin, un reportage commence. Devant une maison, le journaliste annonce :

« Un homme de vingt-huit ans, originaire de Witcham en Australie du Sud, vient d'être arrêté pour le viol et le meurtre de Sierra Carson-Mills. La police de la région a appréhendé le suspect tôt ce matin en prenant d'assaut sa maison familiale. L'inspecteur Parkison, de la police de Victoria, a voyagé jusqu'en Australie du Sud pour demander l'extradition du criminel supposé dans la région de Melbourne. Le coupable présumé sera inculpé de l'homicide et du viol de Sierra Carson-Mills, ainsi que d'atteintes sexuelles sur mineures auprès de trois autres victimes adolescentes. »

On voit ensuite un extrait vidéo de l'arrestation : des policiers font sortir l'homme menotté d'une maison en bois peint, à la pelouse bien entretenue et aux rosiers en fleurs. Il a le visage couvert par un pull, et on lui fait contourner un petit tricycle dans l'allée. Un inspecteur l'attend de l'autre côté de la barrière blanche et ouvre le portail. Ils se dirigent vers une voiture, où l'homme s'assied sur la banquette arrière, bientôt encadré de deux agents. La caméra suit la voiture, puis se recentre sur la maison, dont le numéro est flouté.

La photo la plus récente de Sierra publiée sur Risk est épinglée dans un coin du reportage.

Trois autres victimes... Combien d'autres filles a-t-il laissées partir ? Qu'a fait Sierra de différent ? Il a dû se passer quelque chose : elle a prononcé des paroles malvenues ou découvert quelque chose qu'elle ne devait pas savoir. Ou, tout simplement, elle a changé d'avis et a refusé de passer la nuit avec lui, effrayée par un détail...

Avec Callum, Riley et maman, nous ne pouvons détacher les yeux de la télé. Je zappe pour trouver la même vidéo sur d'autres chaînes. Ce doit être l'info du jour, parce que nous sommes en mesure de la voir plusieurs fois. Je ne sais pas trop à quoi je m'attendais, mais je n'aurais pas cru qu'il ressemblerait à ça. La jolie maison en bois aussi est un choc. Je l'aurais vu vivre dans un genre de taudis sombre, tout seul, à l'écart du monde. Et ce tricycle devant... Il aurait une compagne et un enfant ? Passe-t-il pour un homme normal le reste du temps ? Je frissonne. Je me lève, me dirige vers la cuisine, puis retourne au salon. Je n'arrive pas à rester en place.

Je suis épuisée par le manque de sommeil, et mon estomac est soit trop vide, soit en vrac, mais en tout cas, je ne me sens pas de taille à y mettre quoi que ce soit. Je demande aux autres s'ils veulent grignoter quelque chose, mais Riley secoue la tête et Callum garde les yeux dans le vague.

Nos téléphones se mettent à sonner : des amis du lycée, les parents de Riley et Callum, des collègues de l'hôpital. Maman se dirige vers sa chambre ; elle doit avoir envie d'appeler Rachel.

– Ma mère vient me chercher, annonce Riley après avoir raccroché.

– Ça va aller ?

– Oui, répond-elle, des larmes dans les yeux, le visage décomposé.

Elle est encore en pleurs quand sa mère arrive. Callum l'accompagne jusqu'à la voiture, l'embrasse et revient à l'intérieur. Dire que Riley gardait toujours ses distances quand on montrait nos émotions... C'est une grande nouveauté de la voir dans cet état.

Callum s'affale sur le canapé, épuisé.

– Je vais peut-être y aller aussi, dit-il.

Je hoche la tête, même si je n'ai pas envie qu'il parte. Je lui demande :

– Et maintenant, qu'est-ce qu'on fait ?

– Je sais pas.

Soudain, ça me paraît trop bête de ne pas se dire ce qu'on veut ou ce qu'on ressent. C'est tellement ridicule de jouer aux devinettes. J'ai besoin de savoir ce qu'il éprouve. Et je souhaite qu'il soit au courant de mes sentiments, que l'issue soit bonne ou non.

– J'ai des trucs à te dire. Tu trouveras peut-être bizarre que je t'en parle maintenant, mais pour moi, c'est le bon moment. (Je regarde son visage, puis baisse les yeux.) Je suis amoureuse de toi depuis le voyage scolaire de cinquième, quand on faisait du roller, qu'Izzy a perdu l'équilibre et qu'elle m'a entraînée dans sa chute. J'ai dérapé, tu es passé à côté d'elle et tu t'es arrêté pour m'aider à me relever. J'avais la honte. Mon genou saignait, mais je faisais comme si je n'avais pas mal. Je n'ai jamais parlé à personne de ce que je ressentais pour toi, même pas à Sierra. Je me rappelle à peu près toutes nos conversations depuis ce jour, et je dois faire des efforts pour ne pas te regarder à longueur de temps au lycée.

Le jour où Sierra et moi, on a trouvé Jacob Jones sur Mysterychat, Sierra m'a confirmé que vous vous étiez embrassés à la fête de la fin de l'année scolaire. Riley m'en avait déjà parlé, et ça m'avait gâché l'été. Je me disais, forcément, c'est elle qui devait te plaire, plutôt que moi. Elle était tellement... magnifique. En fait, je pensais qu'on ne serait jamais ensemble, surtout après ça. Alors quand je me suis mise à parler avec Jacob Jones, c'était agréable de me sentir appréciée. Et là, Sierra a informé tout le monde qu'elle allait le rencontrer ! J'étais trop gênée... Et puis je t'ai regardé, tu ne la quittais pas des yeux. Je croyais que tu étais amoureux d'elle. Comme tout le monde. En gros, je me sens trop nulle.

— Taylor, me coupe-t-il.

— Ensuite, on s'est vus le samedi. Je croyais que tu étais jaloux, parce qu'elle le rencontrait, lui, mais je voulais que tu sois là, et tout d'un coup, j'ai eu l'impression que tu m'aimais bien. Vraiment. Alors, j'allais pas poser de questions...

— Taylor !

Cette fois, je m'interromps.

Callum s'approche, le visage contre le mien.

— Arrête. De. Parler.

Il effleure mes lèvres des siennes. Son haleine est chaude et sucrée. Il recule un bref instant pour me toucher une joue, et m'enlace la taille de l'autre main pour m'attirer à lui. Nos visages sont tout proches, à l'angle idéal. Son torse se soulève à un rythme saccadé, appuyant contre moi avec force.

Il s'avance et me chuchote à l'oreille :

— Je n'ai jamais embrassé Sierra. (Il me dépose un baiser juste sous l'oreille.) Elle était saoule et elle draguait Quinton Othello. (Il passe à mon menton, qu'il embrasse aussi.) Je l'ai entraînée plus loin en sachant qu'elle le regretterait. (Ses baisers se rapprochent de ma bouche.) C'est là qu'elle a essayé de m'embrasser, mais je l'ai repoussée. Il y a des gens qui nous ont vus et qui ont fait circuler la rumeur.

Il recule et croise mon regard. Je lui avoue :

— Sierra m'en a parlé, quelques jours plus tard, mais du coup, je ne savais pas à quel moment elle avait menti.

— Elle disait la vérité. Je ne voulais pas, parce que c'est toi, Taylor, que j'avais envie d'embrasser.

J'ai les sens en alerte. Je passe les mains derrière la nuque de Callum et fourrage dans ses cheveux en bataille.

On s'embrasse, encore et encore.

Les mêmes sentiments pour Callum me reviennent en force et, de nouveau, je suis impressionnée par la violence de mon envie. Plutôt que de repousser mes sentiments pour lui, je repousse la culpabilité. Sierra me manque, je suis triste qu'elle ne soit pas là et je n'imagine pas que ça puisse passer un jour. Mais au plus profond de mon cœur, je sais qu'elle voudrait me voir heureuse.

Mon téléphone sonne. C'est Kel. Nous nous détachons pour que je puisse répondre.

Il me remercie pour mon aide et m'annonce que la police a fini de contrôler le site.

Maman apparaît à la porte, habillée et prête à partir chez Rachel. De ce côté-là, ce ne sera jamais réglé pour moi. La tristesse m'envahit. Perdre Sierra a laissé un vide dans mon cœur, et perdre sa famille, encore un autre.

Peu après son départ, la mère de Callum se gare dans l'allée.

– Tu es sûre que ça va aller, toute seule ? me demande-t-il.

– Oui. (Quand je l'embrasse, des larmes m'emplissent les yeux.) Désolée, je pleure tout le temps, en ce moment. Mais promis, je me sens bien.

Après un dernier baiser, il se dirige vers la porte.

– Je reviens demain matin, me dit-il.

– D'accord.

J'inspire son odeur une dernière fois avant qu'il parte. J'envoie un bonjour à sa mère de la main, puis je retourne à l'intérieur.

Sur Risk, je copie les liens vers les derniers articles sur l'affaire Sierra, que je publie sur le blog, avec pour titre : *Un homme accusé d'homicide et atteintes sexuelles sur mineures.*

Je partage les liens sur les réseaux sociaux puis, tant que je suis sur Twitter, je recherche Taylor Wolfe. Je sais bien qu'elle emploie du monde pour sa communication, et que c'est bébête de ma part, mais je me sens un peu connectée à elle. Ou alors, reliée à Sierra par elle. Je lis tous ses messages, puis m'apprête à fermer Twitter, mais je m'arrête.

Je compose un tweet : *@TaylorWolfe, merci de retweeter pour aider à la prévention.* J'ajoute le lien vers Risk. Qui sait ? Les gens qui tiennent son compte voudront peut-être bien.

Je travaille sur Risk jusqu'au retour de ma mère, puis nous prenons un thé à la menthe dans la cuisine.

– Comment va Rachel ?

– Cassy et Dave sont là, et ils essaient de régler leurs problèmes. Elle va aussi bien que possible, je trouve.

Les yeux à terre, je demande :

– Tu crois qu'ils vont se remettre ensemble ?

– Je ne suis pas certaine, mais oui, c'est possible.

– Et tu penses qu'un jour, elle ne sera plus fâchée contre moi ?

Maman fronce les sourcils, elle semble chercher les mots justes.

– Rachel en veut encore au monde entier, à commencer par elle-même. Elle est en colère, pleine de rancœur et de tristesse. Elle me l'a dit, elle sait déjà qu'elle a tort, mais elle n'arrive pas à modifier son ressenti. C'est déjà un pas, pour l'instant.

– Si je t'en avais parlé, ou si j'en avais parlé à Rachel, dès le vendredi, quand Sierra m'a appelée, elle serait peut-être encore là.

– Et peut-être pas. Elle était déjà avec lui. Ça aurait pu faire une différence, ou non. On peut aligner des si et des mais toute la journée, et on n'aura toujours pas de réponse.

Je me fais des reproches depuis le début, en me disant que plus tôt dans le week-end, on aurait pu arrêter cette horreur. Mais maman a peut-être raison. Qui sait, même si j'avais averti Rachel dès le vendredi, peut-être que l'issue aurait été la même. C'est sans doute ce que voulait dire Dave l'autre jour, en précisant que c'était au tueur qu'il en voulait et pas à moi. Sierra a croisé le chemin de la mauvaise personne. Je n'ai pas bien géré la situation, mais ce n'est pas moi qui l'ai créée non plus...

Encore une fois, je me connecte à Risk. La fréquentation est hallucinante. Le post sur l'arrestation, peut-être ? Quand je vais plus loin sur le site, je découvre la raison véritable.

Non seulement Taylor Wolfe a retweeté mon message, mais elle est aussi venue sur le site, a lu les articles et laissé des commentaires.

Je trouve un mail dans ma boîte.

Chère Taylor,

Ton site est super. J'ai mis le lien dans mon blog pour soutenir la cause. Que ta chère et belle amie, Sierra Carson-Mills, repose en paix pour toujours.
Je t'embrasse,
Taylor Wolfe

Mais... C'est vraiment Taylor Wolfe qui me répond ? En personne ? Je cours sur son site pour constater qu'elle a publié le lien vers Risk et écrit quelques mots au sujet de Sierra.

Oh. Mon. Dieu.

Les larmes coulent sur mes joues. Taylor Wolfe, l'idole de Sierra, parle d'elle ! C'est tellement tragique de se dire que Sierra ne le saura jamais.

Ou alors, peut-être qu'elle le sait ; et dans ce cas, où qu'elle soit, elle exulte autant que moi.

VINGT-SIX

Ça fait presque un an que le tueur de Sierra a été arrêté et a plaidé coupable. Aujourd'hui, il a été condamné à une peine de prison. Je pensais que voir la justice rendue, savoir qu'il resterait incarcéré de longues années, m'apporterait un peu de satisfaction. Je me trompais. Ça m'offre un certain soulagement, mais rien de plus. Sierra est toujours partie, et rien ne pourra changer ce fait.

Les gens prennent place dans la salle. Le conseil municipal organise des manifestations pour rapprocher les habitants et discuter des problèmes. Le thème de ce soir est la sécurité en ligne. Il a été programmé à dessein, pour coïncider avec la sentence dans l'affaire Sierra, et en même temps, cette soirée servira de cérémonie anniversaire. C'est pour cette raison que j'ai été invitée à intervenir. Les Carson-Mills aussi l'étaient, mais ils ont tous décliné poliment. Je ne sais même pas s'ils viendront. Rachel me tient toujours à distance. Elle ne m'a jamais pardonné, et j'ai mal chaque fois que maman va la voir en me laissant derrière. D'après elle, Rachel était bouleversée cet après-midi, après la décision de justice. Elle ne sera sans doute pas en état de venir.

Maman s'est placée au premier rang, à côté de Kel Parkinson qui va également s'exprimer. Maintenant que l'affaire est close, il est autorisé à en parler en public. M. Sam me fait signe, quelques rangs derrière. Callum et Riley sont entre les deux. Callum me lance un clin d'œil. La nervosité fait vibrer chaque cellule de mon corps.

C'est ma mère qui avait raison au sujet des agents. Je n'en ai pas eu besoin. Après quelques conférences dans les établissements du coin, je n'ai pas vraiment eu de demandes d'autres écoles. Ce qui signifie que je ne m'étais jamais adressée à une foule aussi étendue que ce soir...

J'ai répété mon discours un nombre infini de fois, et je ne suis pas arrivée une seule fois à le prononcer en entier sans pleurer. Mon indignation est toujours aussi intacte qu'au premier jour. Parfois, j'oublie, je me perds dans le moment, et puis ça me revient en pleine figure.

Je suis la première à parler. Sur la gauche se dresse une scène avec un grand écran. Un bureau accueille mes notes et mon ordinateur. D'autres écrans sont prévus au milieu de la pièce, suspendus au plafond, pour que les spectateurs du fond puissent me voir.

Quand j'arrive sur la scène, la foule se calme et se tourne vers moi. Je jette encore un coup d'œil à la ronde. Les derniers arrivants prennent place à la lumière des projecteurs qui décline.

Trois personnes supplémentaires s'introduisent à la dernière minute, après la fermeture des portes. Je reste paralysée, la gorge serrée : c'est Rachel. Elle s'avance dans l'allée centrale, vêtue d'un tailleur noir. Elle a les cheveux rassemblés en un chignon bas sur la nuque, récemment teints en blond. Sous le bras, elle tient un petit sac à main. Cassy et Dave l'entourent et lui tiennent tous les deux la main. C'est la première fois que je les revois ensemble, ce qui me met de la joie dans le cœur.

L'assistance se tait, et on se retourne pour voir qui je regarde. Maman se lève et se dirige vers le centre de la salle, puis me fait signe de venir. Je redescends, et elle me presse la main. Nous nous avançons vers les Carson-Mills, et elle embrasse Rachel la première avant de s'écarter. Ensuite, Rachel me tend les bras. Nous nous étreignons, et je ne peux retenir mon émotion.

– Je suis désolée. Tellement, tellement désolée.

Je le dis et le redis, et elle me serre avec force.

– Moi aussi, Taylor. Je... n'arrivais pas...

– Ce n'est pas grave, lui dis-je. Je comprends.

La foule garde le silence.

Soudain, Kel est à côté de nous et nous fait signe de nous éloigner de la foule.

– Bonsoir, Mesdames et Messieurs.

C'est Callum qui a pris la parole, d'une voix mal assurée.

Je le regarde, qui agrippe le micro avec des mains raidies.

– C'est une soirée lourde d'émotions pour beaucoup d'entre nous. (En poursuivant, sa voix s'affermit.) Aujourd'hui, l'assassin de Sierra a été condamné à la prison. Pendant que notre intervenante se reprend, je vous présente l'une des nombreuses personnes à avoir travaillé jour et nuit sur le cas de Sierra pour amener un peu de justice en ce monde. Mesdames et messieurs, veuillez réserver un accueil chaleureux à l'inspecteur Kel Parkinson.

Callum se tourne vers moi et reprend son souffle. Il lui a fallu beaucoup de cran pour prendre la parole ainsi. De mes lèvres, je forme en silence le mot « merci ».

Kel monte les marches de la scène, où il saisit le micro et commence à relater son histoire depuis le premier appel qu'il a reçu concernant la disparition d'une adolescente. Le public est captivé. Maman emmène Rachel, Dave et Cassy à des places au premier rang, le temps que je me ressaisisse et que je me prépare de nouveau à m'exprimer. Moi qui devais au départ intervenir avant et après Kel, je suis complètement décalée. Je prends quelques profondes inspirations, que je tiens cinq secondes chacune. Je sors par la porte latérale, place les mains derrière ma tête et m'étire le dos et les épaules. Après encore quelques respirations, j'entends la foule applaudir. C'est mon tour.

Sur scène, je regarde Rachel tout le long. Et comme pour mon premier discours, le texte que j'avais préparé part aux oubliettes. Je vais parler pour elle. Lui parler, à elle.

– Je me suis repassé ce vendredi soir dans ma tête des millions de fois. La semaine qui y menait, la journée... pas une fois, je n'ai pensé que ça pouvait être dangereux de rencontrer ce garçon. Quand Sierra n'est pas rentrée comme elle me l'avait dit, j'étais fâchée contre elle. (La chaleur des larmes me pique les yeux, et j'essaie de les retenir.) Si vous saviez comme j'ai honte.

Je m'essuie le visage et regarde à terre quelques instants. Quand je repose les yeux sur Rachel, Dave la réconforte, un bras sur son épaule. Elle pleure, mais ne se détourne pas de moi. À travers ses larmes, elle me sourit pour me signifier de poursuivre.

– Sierra et moi, on partageait une amitié très forte, et elle me manque tous les jours. Parfois, en revivant ce vendredi, je le change pour que Sierra revienne et que nos vies reprennent leur cours normal. Si je ferme les yeux et que je bloque tout sauf cette idée, pendant une petite seconde, ma douleur est soulagée. Et puis je revois Sierra vivante en rêve, et ça me réconforte aussi. Au réveil, j'ai quelques secondes heureuses de confusion embrumée... et puis, la réalité me frappe, et c'est comme un coup de poing en pleine figure. Les journées qui commencent comme ça sont plus difficiles, et je dois me répéter que Sierra voudrait que je me fasse une vie heureuse.

Je ne me sens pas très vaillante pour continuer, mais Rachel est là et elle m'écoute.

– Je partageais un lien spécial avec la famille de Sierra, et ça me manque tous les jours aussi. Je comprends, vraiment. C'est douloureux de me voir pour de nombreuses raisons. (J'oublie le reste du public, pour m'adresser seulement à Rachel.) Vous revoir, c'est une souffrance pour moi aussi, parce que ça me rappelle le bon vieux temps et tout ce que j'ai perdu. Pas seulement ma meilleure amie. C'est horrible, mais je comprends. Sachez seulement qu'au milieu de tous ces changements de l'année qui vient de s'écouler, mon amour pour vous n'a pas bougé d'un pouce. Rachel, tu as été une deuxième mère pour moi à la mort de papa. Tu t'es occupée de moi, tu m'as accueillie chez toi, au sein de ta famille, et je ne l'oublierai jamais.

Même si ce n'était pas le texte que j'avais répété, Callum devine que j'ai terminé. Il se lève et fait passer des briquets et des bougies à étincelles dans les rangs. Puis il retourne sur scène pour m'en donner aussi.

Avec un sourire, je déclare :

– Sierra a brillé de façon vive et spectaculaire jusqu'au moment où on lui a arraché la vie. Si vous voulez bien, on va compter à rebours, et à zéro, tout le monde allume et lève sa bougie. Dix, neuf, huit... (La foule se joint à moi.) Trois, deux, un...

Zéro. La lumière s'éteint et le sifflement des bougies remplit la salle. La luminosité est presque aveuglante. Lorsque les bougies se sont arrêtées, nous restons dans le noir pendant toute une minute. Moment de tristesse, de réflexion silencieuse et de respect. Je touche la souris et clique sur la chanson de Taylor Wolfe, « She Shone like the Stars ». Elle brillait comme les étoiles. La musique commence et allège l'atmosphère. Sur les écrans, des photos de la vie de Sierra défilent.

– Tous ces moments beaux, tristes, drôles ou touchants capturés par l'appareil ne sont que quelques-uns parmi tous ceux dont je me souviens. Toujours, je porterai dans mon cœur le souvenir du rire de Sierra, de son amour et de son énergie. J'espère que son histoire pourra contribuer à la prévention pour d'autres personnes confrontées aux dangers du monde d'aujourd'hui. Je vous remercie d'être venus ce soir pour partager ce moment important avec nous.

Les lumières reviennent et je reste sur scène. Après le discours, quelques personnes viennent me parler. Quand tout le monde commence à partir, je remballe mes notes et mon ordi, mais une jeune fille aux cheveux blond vénitien s'avance vers la scène. Je la reconnais tout de suite.

Fliss.

Elle rencontre mon regard et me décoche un sourire hésitant.

– Bonjour, dis-je en répondant à son sourire. Fliss ?

– En fait, je m'appelle Felicity. Bonsoir.

– Comment tu vas ?

– Pas mal. Je suis encore privée de sortie, mais à part ça, tout va bien.

Mon rire se termine par un petit son triste, et un silence gêné suit.

– Tu sais, Fliss, enfin, Felicity, je voulais te remercier d'avoir fini par collaborer avec la police. Je sais que ça a été dur pour toi... Qu'il a été gentil avec toi, que tu étais tombée amoureuse, et tout...

Je m'arrête avec l'impression d'avoir trop insisté, mais elle me répond, des larmes dans les yeux.

– Si tu savais comme j'ai honte. Même après avoir compris qu'ils me disaient la vérité, je ne voulais toujours pas les aider, parce que je refusais de reconnaître combien j'avais pu être bête et naïve. Je suis désolée. Désolée de vous avoir causé encore plus de difficultés, à toi et la famille de Sierra, à tout le monde. C'est pour vous le dire que je suis venue ce soir. Que je suis vraiment désolée.

Je descends de scène pour la serrer dans mes bras.

VINGT-SEPT

L e froid me cingle le visage. La poudreuse tourbillonne autour de moi, puis retombe. Les mains bien au chaud dans mes gants, je vois le souffle de Callum former de petits nuages de vapeur. Les jambes de part et d'autre du banc, il m'attire contre lui et m'embrasse. Je pose la tête sur son torse.

– Pas trop froid ?

Il ouvre son blouson pour m'en entourer.

– Ça va, dis-je en ajustant mon bonnet sur mes oreilles. Elle aurait adoré, tu sais. Qu'on soit là.

Maman et Rachel s'avancent vers nous. Je me redresse et Callum remonte la fermeture de son blouson.

– Vous êtes prêts ?

Je hoche la tête. Je crois que c'est vrai, je suis prête.

Nous prenons le tire-fesses, puis des remontées mécaniques plus confortables pour nous élever au milieu des grands pins. Quand nous atteignons le sommet, nous passons quelques minutes au café pour nous préparer psychologiquement. Enfin, nous sortons, mettons nos skis et nous dirigeons vers la piste.

– Suivez-moi ! crie Rachel.

Une fois que nous sommes descendus derrière la crête, parmi les arbres, le vent est plus calme. Rachel s'arrête à l'écart de la piste. Elle détache ses skis, debout dans la neige entassée, et nous fait signe de suivre son mouvement. Nous empruntons un étroit sentier qui mène à un point de vue muni de garde-fous. La vue sur les montagnes couvertes de neige est exceptionnelle. Je n'arrive pas à m'arrêter de m'extasier sur l'immensité de tout. Rachel tire l'urne de son blouson.

La neige est dans l'air, mais ne tombe pas. Elle monte, flotte, retombe, virevolte. Elle danse autour de nous, légère comme la brise. Si on essaie d'attraper un flocon, il s'échappe des doigts.

– Sierra aurait aimé que ce soit ici, dit Rachel. Je sais que c'est là qu'elle voudrait qu'on disperse ses cendres.

Elle s'avance vers la rambarde.

– Adieu, mon bel ange.

Elle secoue doucement l'urne pour faire tomber une petite partie des cendres, qui sont emportées par le vent. Elles tournent avec la neige, flottent, restent avec nous.

Rachel se tourne vers moi pour me passer l'urne. J'imite son geste et articule, d'une voix entrecoupée :
– Au revoir. Meilleures amies pour toujours.
Rachel tend l'urne à maman, qui souffle :
– Sois libre.
Les cendres s'éloignent avec une petite bourrasque.
C'est au tour de Callum, qui s'exécute et regarde les cendres partir :
– Pour toujours jeune et belle.
Rachel sourit et reprend l'urne dans son blouson. Elle reviendra tout à l'heure avec Cassy et Dave pour disperser le restant des cendres de Sierra en famille. Pour l'instant, nous nous asseyons tous en regardant les montagnes. Personne ne dit rien. Rachel est la première à se lever. Maman la suit bientôt, nous laissant tous les deux à nos souvenirs de Sierra.
– Je n'ai pas envie de partir, dis-je. De la laisser.
– Elle n'est pas ici, me répond Callum. Elle est là. (Il indique ma poitrine, à l'emplacement de mon cœur.) Elle est avec toi. Une partie de toi, en tout cas.
Après encore un moment, nous retournons à nos skis, que nous remettons. Je retire mon bonnet péruvien pendant que nous entamons notre descente, Callum devant moi. Ni l'un ni l'autre ne sommes des pros de la glisse. Nous nous déplaçons lentement, en appliquant les conseils dispensés par le moniteur pour éviter de prendre trop de vitesse. Mes cheveux volent derrière moi et l'air glacé me balaie le visage et le cou. C'est une sensation purifiante.

J'écarte les bâtons et lève le visage vers le ciel. Je ferme les yeux quelques secondes, et il n'y a rien d'autre que le son de mes skis sur la neige et la sensation de l'air sur ma peau. Je rouvre les paupières, hésite un peu et manque de tomber. Quand je me reprends, je respire un bon coup et je lâche prise.

Sierra me manque jour après jour, et elle n'est jamais loin de mes pensées. Quand je pense à elle, je ris, je pleure et j'éprouve tout le spectre des émotions, mais une chose demeure. Je ne peux changer ce qui s'est passé et je vais devoir apprendre à vivre avec. La vie est précieuse. Je rendrai hommage à Sierra, qui a perdu la sienne, en évitant de gaspiller la mienne. Je suivrai mes rêves et je serai plus honnête avec mes sentiments. Je m'inquiéterai moins des détails sans importance et, avant tout, je m'autoriserai à être heureuse. Heureuse d'être en vie, heureuse d'être moi.

LIZ KESSLER

COMME UN
LIVRE OUVERT

**UN TEXTE FIN ET BOULEVERSANT
SUR LA RECHERCHE DE LA SEXUALITÉ !**

Hugo Roman
New Way

Christina Lauren
Hantée

**LE NOUVEAU BLOCKBUSTER
YOUNG ADULT DE CHRISTINA LAUREN !**

Hugo Roman
New Way

COLE GIBSEN

BLACKLISTÉE

UN ROMAN POIGNANT
SUR LE HARCÈLEMENT
SCOLAIRE !

Hugo Roman
New Way